まちごとインド
東インド012

ブッダガヤ
「悟り」と菩提樹
［モノクロノートブック版］

今から2500年前の古代インドで、政治、経済、文化の中心だったビハール州(ガンジス河中流域)の南西に位置するブッダガヤ。ブッダはここブッダガヤの菩提樹のもとで悟りを開いたことから、仏教最高の聖地にあげられる。またブッダガヤの北10㎞に位置するガヤは、ヴィシュヌ神の足あとの残るヒンドゥー聖地として知られている。

紀元前6世紀ごろ、インド世界北部で釈迦族の王子として生まれたシッダールタは、29歳のとき、「生老病死」という人間の避けられない運命、苦しみからの解脱を求めて出家を決意した。シッダールタはウルヴェーラの

森(ブッダガヤ近く)で6年間、絶食や痛みをともなう苦行にはげんだが、それでは真の解脱は得られないと考えるようになった。

そして娘スジャータの乳粥で弱った身体を回復させ、ブッダガヤの菩提樹のもとで瞑想をはじめたシッダールタはついに悟りを開いて「ブッダ(目覚めた者)」となった。ブッダの教え(仏教)はインドからアジア全域に広がり、現在ではスリランカ、ミャンマー、タイ、チベット、ブータン、日本など、世界各地の仏教徒がブッダガヤへ巡礼に訪れている。

まちごとインド｜東インド 012

ブッダガヤ

「悟り」と菩提樹

Asia City Guide Production
East India 012

Bodh Gaya

बोधगया/ بودھ گیا

「アジア城市（まち）案内」制作委員会
まちごとパブリッシング

まちごとインド
東インド 012
ブッダガヤ

Contents

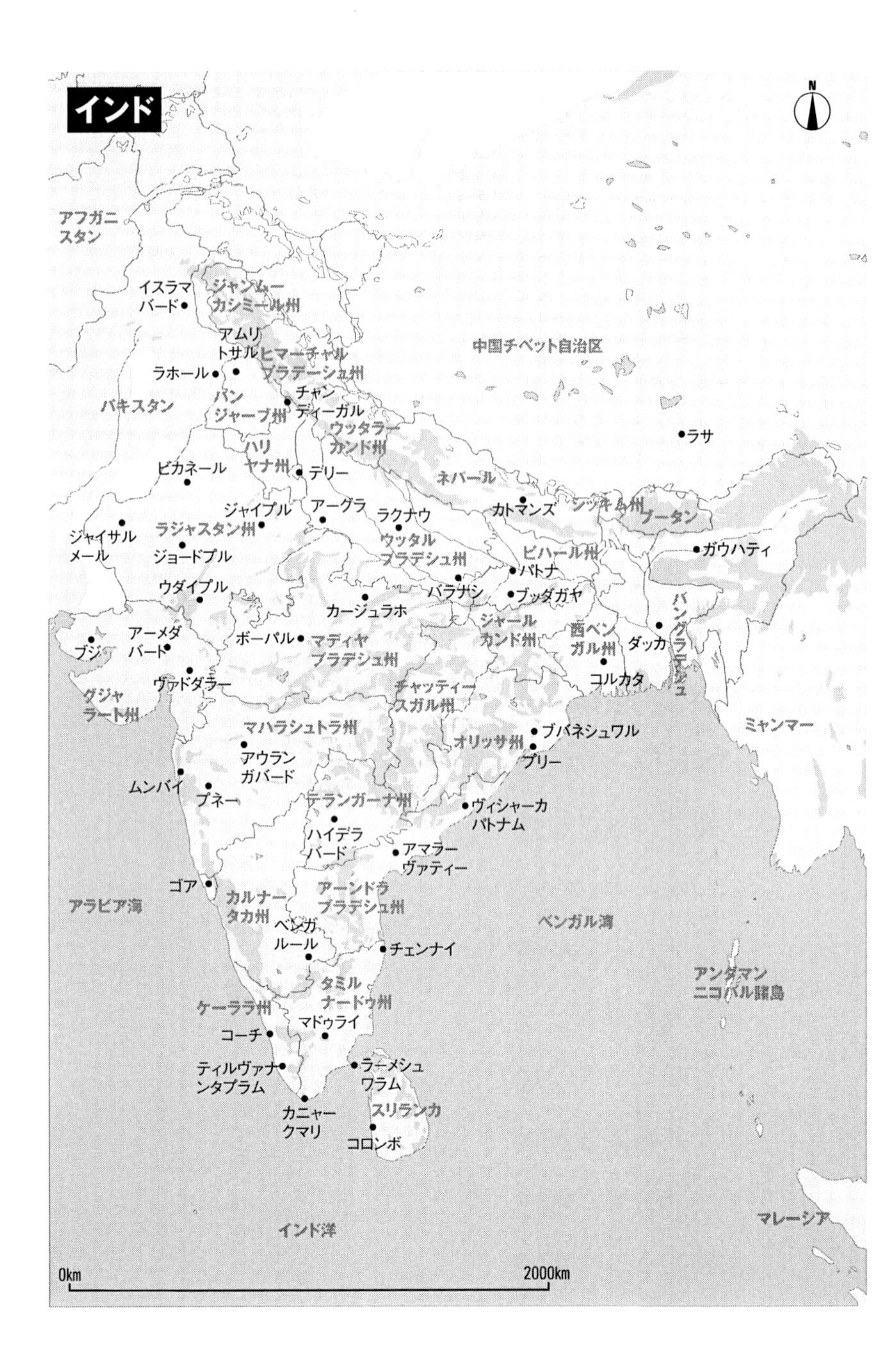

インド
アフガニスタン
イスラマバード
ジャンムーカシミール州
アムリトサル
ヒマーチャルプラデーシュ州
ラホール
パキスタン
パンジャーブ州
チャンディーガル
ウッタラーカンド州
ハリヤナ州
ビカネール
デリー
中国チベット自治区
ラサ
ネパール
ジャイプル
アーグラ
ラクナウ
カトマンズ
シッキム州
ブータン
ジャイサルメール
ラジャスタン州
ジョードプル
ウッタルプラデシュ州
ビハール州
ガウハティ
パトナ
ウダイプル
バラナシ
ブッダガヤ
カージュラホ
バングラデシュ
ジャールカンド州
アーメダバード
ブジ
ボーパル
マディヤプラデシュ州
西ベンガル州
ダッカ
ヴァドダラー
コルカタ
グジャラート州
チャッティースガル州
マハラシュトラ州
ブバネシュワル
オリッサ州
ミャンマー
プリー
アウランガバード
ムンバイ
プネー
テランガーナ州
ヴィシャーカパトナム
ハイデラバード
アマラーヴァティー
ゴア
カルナータカ州
アーンドラプラデシュ州
アラビア海
ベンガル海
ベンガルール
チェンナイ
アンダマンニコバル諸島
タミルナードゥ州
ケーララ州
マドゥライ
コーチ
ティルヴァナンタプラム
ラーメシュワラム
カニャークマリ
スリランカ
コロンボ
インド洋
マレーシア
0km
2000km
N

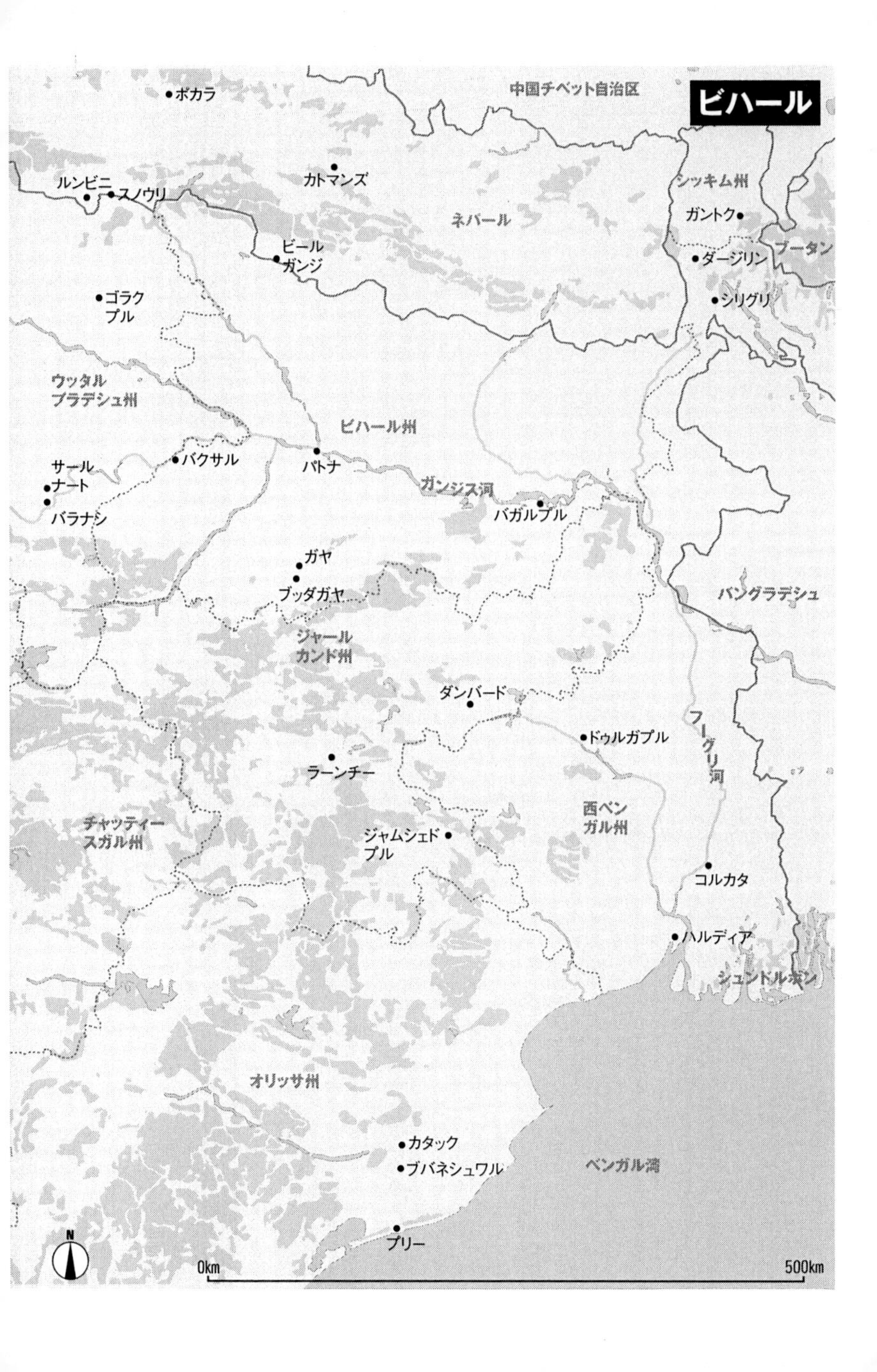

ビハール
中国チベット自治区
ポカラ
カトマンズ
ルンビニ
スノウリ
シッキム州
ガントク
ネパール
ブータン
ダージリン
ビール
ガンジ
シリグリ
ゴラク
プル
ウッタル
プラデシュ州
ビハール州
サール
ナート
バクサル
パトナ
バラナシ
ガンジス河
バガルプル
ガヤ
ブッダガヤ
バングラデシュ
ジャール
カンド州
ダンバード
ドゥルガプル
フーグリ河
ラーンチー
西ベン
ガル州
チャッティー
スガル州
ジャムシェド
プル
コルカタ
ハルディア
シュンドルボン
オリッサ州
カタック
ブバネシュワル
ベンガル湾
プリー
N
0km
500km

Introduction

古代印度を伝えるビハール

**氾濫を繰り返すガンジス河
灼熱の太陽、雨季と乾季が循環する世界
峻烈な環境のなか仏教は生まれた**

古代インドの先進地で

ブッダガヤのあるビハール州という名前は、「僧院（ヴィハーラ）」に由来し、古代インド世界の中心に位置した。紀元前6世紀ごろ、ガンジス河の恵みで育まれたこの地域には16の大国があり、なかでもマガダ国とコーサラ国が優勢だった。ブッダの釈迦族はコーサラ国の領内に暮らし、一方、都ラージギル（王舎城）、パータリプトラ（パトナ）、ガヤ、ブッダガヤの位置するガンジス河南の南ビハールは、マガダ国の版図だった。そして、このマガダ国は第5代ビンビサーラ王（在位紀元前543年ごろ〜前491年ごろ）、第6代アジャータシャトル王（在位紀元前491年ごろ〜前459年ごろ）という父子の力で、北インドの政治、経済、文化の先進地へと発展をとげていた。マガダ国はブッダ時代のシシュナーガ朝（〜紀元前4世紀）、アレキサンダーの遠征時のナンダ朝（紀元前4世紀）と続き、マウリヤ朝（紀元前317年ごろ〜前180年ごろ）にとって替わられた。パータリプトラ（パトナ）に都をおいたマウリヤ朝の第3代アショカ王は、インド全土を統一し、篤く仏教を信仰してブッダガヤでマハーボーディ寺院を創建した。その後も、シュンガ朝（紀元前180〜前68年ごろ）、グプタ朝（320〜550年ごろ）といった王朝がパータリプトラで興隆し、1000年のあいだビハールはインド最先端の地であった。ガンジス河本流とガンダク川、ソン川、ガガラ川といった支流がパトナで合流し交通の要衝であったこと、それらの恵みで大地が肥沃であったこと、古代インドの原住民と北西からの移住者アーリア人がこの地で融合して多様な文化、宗教が生まれたことなどが、この地で高度な文明(ガンジス文明)が育まれた要因にあげられる。

百花繚乱の新宗教が生まれた

今から2500年前、ブッダの生きた時代のインドでは、バラモン(司祭者)を頂点としてクシャトリヤ(王侯貴族)、ヴァイシャ(平民)、シュードラ(隷属的労働者)と続く身分制度が根づいていた。ガンジス河中流域では、上流を拠点としたバラモンの影響がおよびづらく、それまでなかった王族や商人といった新たな層や職業が台頭した。また、たび重なるガンジス河の氾濫や水害、干ばつ、厳しい自然環境から、「この世は苦しみ」ととらえられ、「(そこから)いかにすれば解脱できるか」という宗教が発達した。仏教側からは六師外道と呼ばれる宿命論、相対論、懐疑論、道徳否定論といった新思想を説く宗教者がこの地に登場し、仏教やジャイナ教もそのなかのひとつであった。仏教もふくめてこれらの新思想に共通することは、最高神や神といった概念を使わず、バラモン教の祭祀や供犠を否定し、修行次第で、誰でも解脱できると説いたところ(東インドで生まれた新思想に対して、同時代の西インドではヴァースデーヴァ、クリシュナといった最高神格に帰依するヴィシュヌ派が生まれていた)。そして、悟りを開いたのはブッダだけでなく、同じくビハールで活動したジャイナ教のマハーヴィーラも悟りを開いた者だとされる。ブッダが悟りを開いたウルヴェーラの森(ブッダガヤ)は、ブッダ以前から多くの修行者の集まる地だったところで、さまざまな信仰をもった修行者とともにブッダは苦行を行ない、やがてそれを捨てて、悟りを開くことになった。

菩提樹前で祈りを捧げる巡礼者

ブッダガヤの大仏は日本の仏教教団によるもの

ビハール州屈指の観光地ブッダガヤ

黄色の袈裟が上座部仏教、赤色の袈裟がチベット仏教の仏僧

天高くそびえる高さ52mのマハーボーディ寺院

日本では長らくお釈迦さまの名前で知られてきた

ブッダガヤの「発見」

世界中から巡礼者を集める仏教聖地のブッダガヤ。この聖地がキリスト教のエルサレムやイスラム教のメッカと異なるのは、仏教聖地という性格がブッダの生きた紀元前6世紀から連綿と続いてきたわけではないところ。2〜4世紀ごろから仏教はヒンドゥー教に吸収されてヴィシュヌ神の化身と見られるようになり、イスラム勢力の侵入を受けるなかで仏教教団はついえてしまった（インド仏教は断絶し、インド人は周辺国で仏教が信仰されていることすら知らなかった）。長いあいだブッダが実在の人物であることや、悟りを開いた聖地ブッダガヤの存在も忘れ去られ、16世紀以降、ブッダガヤはヒンドゥー教徒の地方領主マハントの領地となっていた。こうしたなか、インドがイギリス領となり、1861年にインド考古調査局が設立されて、放逐されていたブッダガヤ、ルンビニ、サールナートなどの「発見」と修復が進んでいった。ブッダガヤのマハーボーディ寺院の大塔は地中に半分が埋まり、痛みながらも残っていたが、サールナートやクシナガラなどはジャングルにおおわれ、ルンビニがブッダ生誕の地であることは1896年に確定されたほどだった。当時のインドには仏教徒がおらず、1870年代にマハーボーディ寺院を修復したミャンマーはじめ、仏教国の援助を受けながら、19世紀末から仏教聖地の整備と復興は進んでいった。

ブッダという呼称

ブッダ、仏陀、仏、シャカ、お釈迦さまといった、さまざまな呼称をもつブッダ。ブッダとは「目覚めた者」という意味で、悟りを開いた者（ブッダ）に対するこの呼びかたが一般的に知られている。ブッダが悟りを開く以前の名前は、ゴータマ・シッダッタというが、これは当時のマガダ国で話されていた言葉パーリ語(口語)によるもので、古代インドの文章語であるサンスクリット語(文語)ではガウタマ・シッダールタと呼ぶ。そして、悟り以前をゴータマ・シッダッタ、悟りを開いたあとをゴータマ・ブッダというように区別することもある。ゴータマとは氏姓のことで、日種(太陽)にさかのぼるゴータマ氏族の「ゴー」とは「牛」を、「トマ」とは「最上級の」を意味し、インド人の信仰や生活にかかせない「優れた牛(ゴータマ)」を意味する。そしてシッダッタやシッダールタが名前(個人名)となっている。またブッダは釈迦族(シャカ族)の出身であることから、「お釈迦さま」という呼称が生まれ、「釈迦牟尼(シャカムニ)」とは「釈迦族の聖者」を意味する(釈迦とは「力のあるもの」の意味)。仏教は中国を通じて日本に伝わっているため、日本では漢訳仏典で使われた言葉をもちい、漢字ではシッダールタのことを「悉陀太子」、ブッダガヤを「仏陀伽耶」と書く。古代中国ではブッダに「仏」という文字をあて、のちに「仏陀」という文字をあてた。この仏という言いかたが日本にも伝わり、仏を「ほとけ」と読むのは、「仏(ほと)」の音のあとに目に見えるという「気(け)」の音をつけたからだという。また煩悩の結び目を「ほどく」という意味、仏教が伝来したときに流行した熱病の「ほとほりけ」に由来するという説もある。

ブッダガヤの構成

「ブッダガヤ(ブッダのガヤ)」という地名は、パトナにつぐビハール州第2の街ガヤの南10㎞にある、この地でブッダが悟りを開いたことからつけられた。ガヤの東を流れるファルグ川(ガンジス河の支流)の上流河畔にブッダガヤはあり、ファルグ川はブッダガヤではネーランジャラー河と呼ばれている。このネーランジャラー河中洲にブッダが乳粥を受けた娘スジャータゆかりのセナーニ村があり、

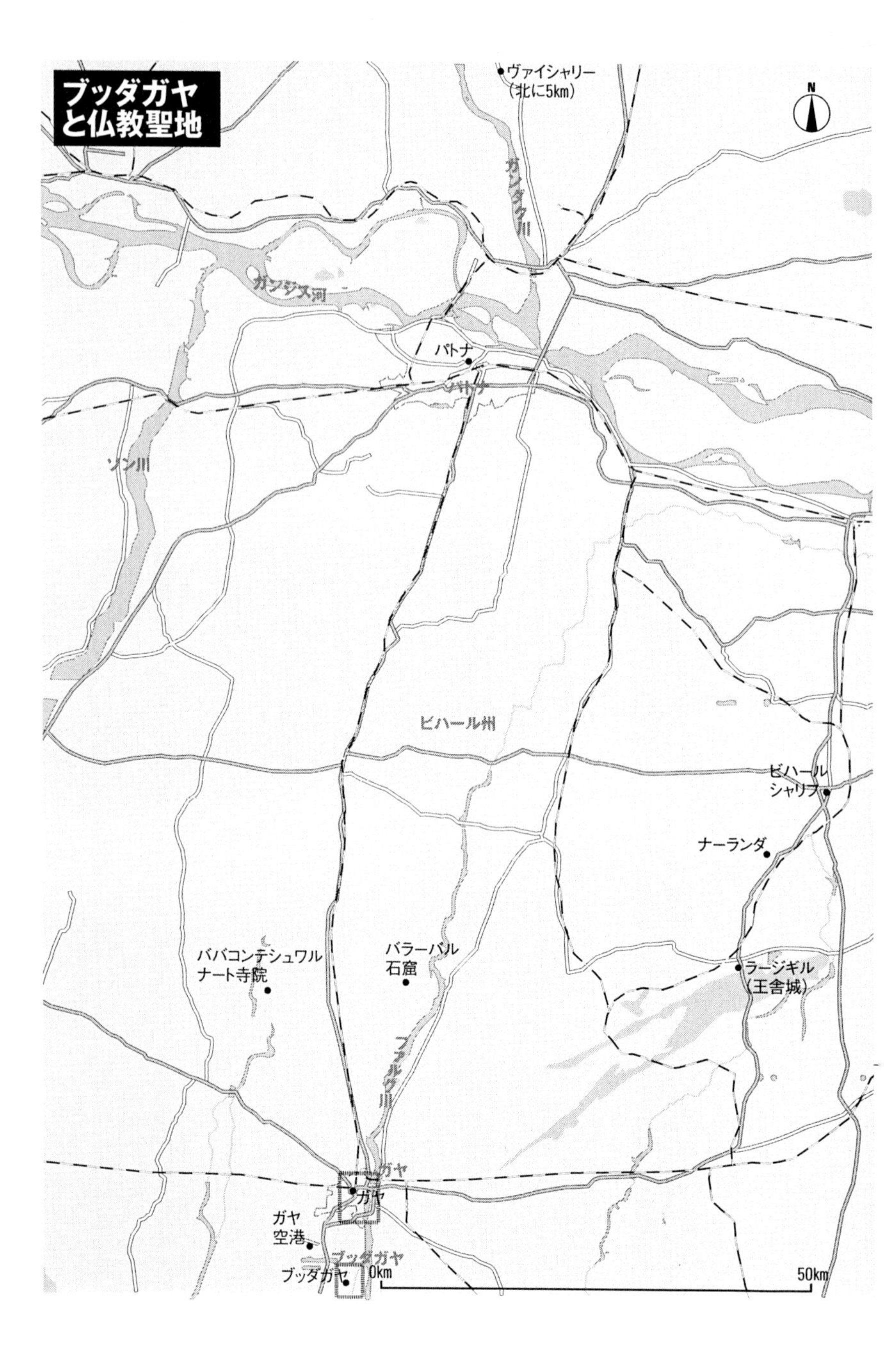
ブッダガヤ
と仏教聖地
ヴァイシャリー
（北に5km）
N
ガンダク川
ガンジス河
パトナ
パトナ
ソン川
ビハール州
ビハール
シャリフ
ナーランダ
ババコンテシュワル
ナート寺院
バラーバル
石窟
ラージギル
（王舎城）
ファルグ川
ガヤ
ガヤ
ガヤ
空港
ブッダガヤ
ブッダガヤ
0km
50km

西岸にブッダガヤの街が広がる。ブッダガヤは、ブッダが悟りを開いた場所に立つマハーボーディ寺院を中心とし、その東側に16世紀から長らくブッダガヤの主であったマハントのブッダガヤ・マトが位置する。それまで忘れられていた仏教聖地が19世紀に「発見」されると、マハーボーディ寺院の周囲にスリランカ寺(マハーボーディ協会)が建てられ、中国やチベットの仏教寺院も続いた。この傾向は、1956年のブッダ2500回目の生誕祭での、「ブッダガヤに国際仏教社会を」というインド首相ネルーの呼びかけに世界中の仏教国が応じたことで決定的になり、マハーボーディ寺院南西のマスティプル集落の地にタイ、日本、ブータンなどの各国仏教寺院がならんでいる。1956年以降のブッダガヤの開発にあわせるように、マハーボーディ寺院近くの集落も変貌を見せ、かつてのタラディ村は郊外に遷り、新たにバザール(タウン・マーケット)が整備されて現在の姿となった(一方で、ブッダ時代のウルヴェーラの名前を今に伝える集落ウライルも、マハーボーディ寺院南側に残っている)。ブッダガヤは一面の平地であり、乾季、冬、春にはあたりの川や沼も干あがるほか、ブッダガヤ北東8kmには、ブッダが悟りを開く直前にいた前正覚山がそびえている。

★★★
ブッダガヤ *Bodh Gaya*
★★☆
ガヤ *Gaya*
★☆☆
ガヤ空港 *Gaya International Airport*
ファルグ川 *Falgu River*
ババ・コンテシュワルナート寺院 *Koncheshwar Mahadev Mandir*
バラーバル石窟 *Barabar Caves*

Bodh Gaya

ブッダガヤ城市案内

エルサレムやメッカとくらべられる仏教の聖地
地球のへそとも言われるこの地に
世界中から巡礼者が訪れる

タウン・マーケット(バザール) ★★☆

Town Market ㋪टाउन मार्केट/㋒ٹاؤن مارکیٹ

　マハーボーディ寺院とこの街の大地主であったマハント邸宅とのあいだにあり、マハーボーディ寺院北側に隣接して走るブッダガヤのタウン・マーケット。ホテルやレストランはじめ、仏像や仏教の工芸品、装身具、お土産、宝石、お香、ろうそくをあつかう店、雑貨店、旅行代理店、茶店、菓子店、服飾店、また果物や野菜を売る露店などが集まる。もともと近くにあった集落タラディやウライルの人たちは、マハントのもとで就労していたが、ブッダガヤの聖地化、観光業の高まりを受けて、自ら店舗を構える人が増えた。またブッダガヤの人口は、1951年は5628人に過ぎなかったが、1981年に15724人、2001年に30883人と急増し、2002年のマハーボーディ寺院の世界遺産登録とともに、遊歩道のタウン・マーケット(バザール)が整備された。商店、土産物店、飲食店がならぶブッダガヤ随一の通りとなっている。

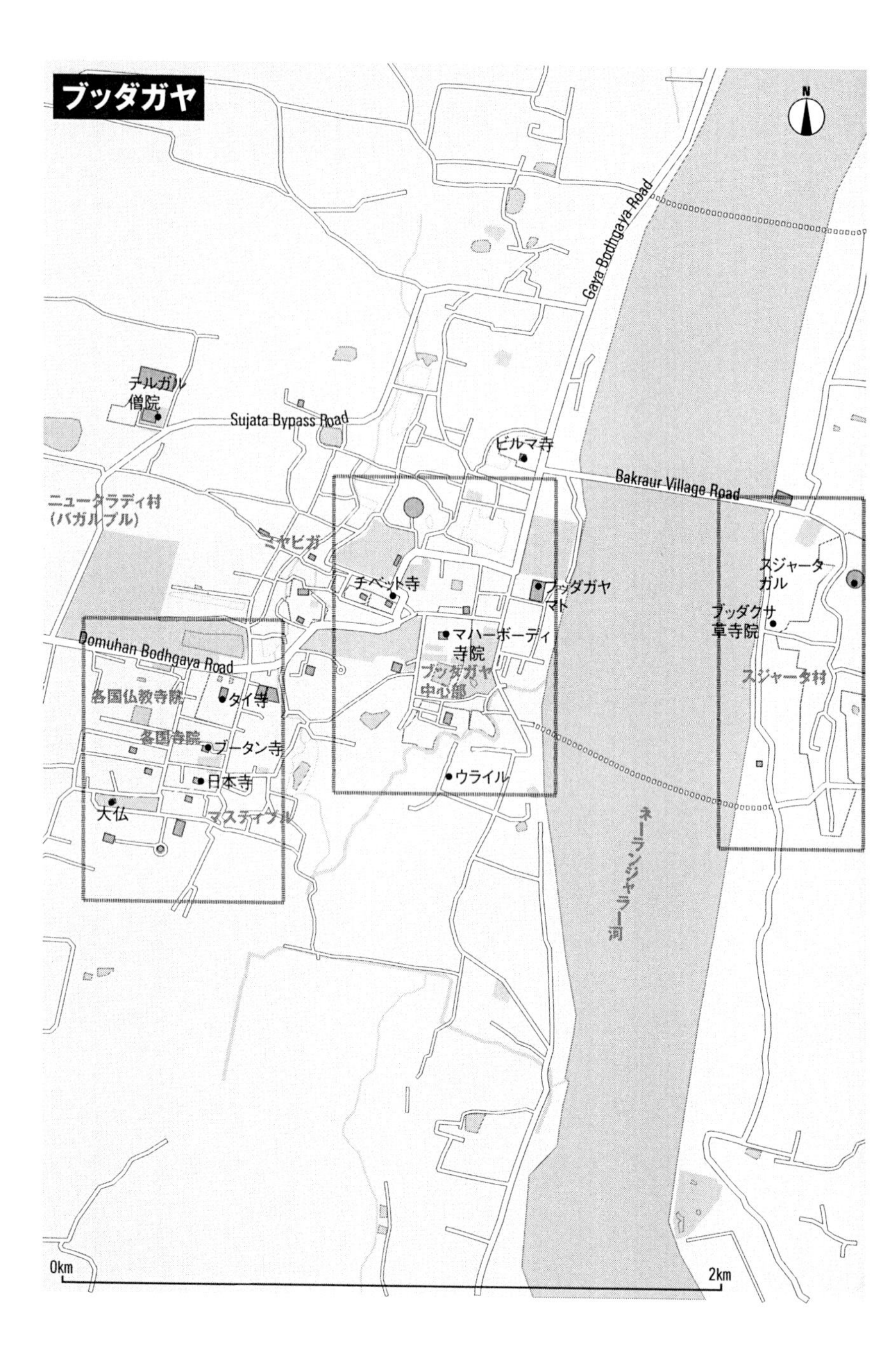
ブッダガヤ
N
Gaya-Bodhgaya Road
テルガル
僧院
Sujata Bypass Road
ビルマ寺
Bakraur Village Road
ニュータラディ村
（バガルプル）
ミヤビガ
チベット寺
ブッダガヤ
マト
スジャータ
ガル
ブッダクサ
草寺院
マハーボーディ
寺院
ブッダガヤ
中心部
Domuhan Bodhgaya Road
各国仏教寺院
タイ寺
各国寺院
ブータン寺
日本寺
大仏
マスティプル
ウライル
スジャータ村
ネーランジャラー河
0km
2km

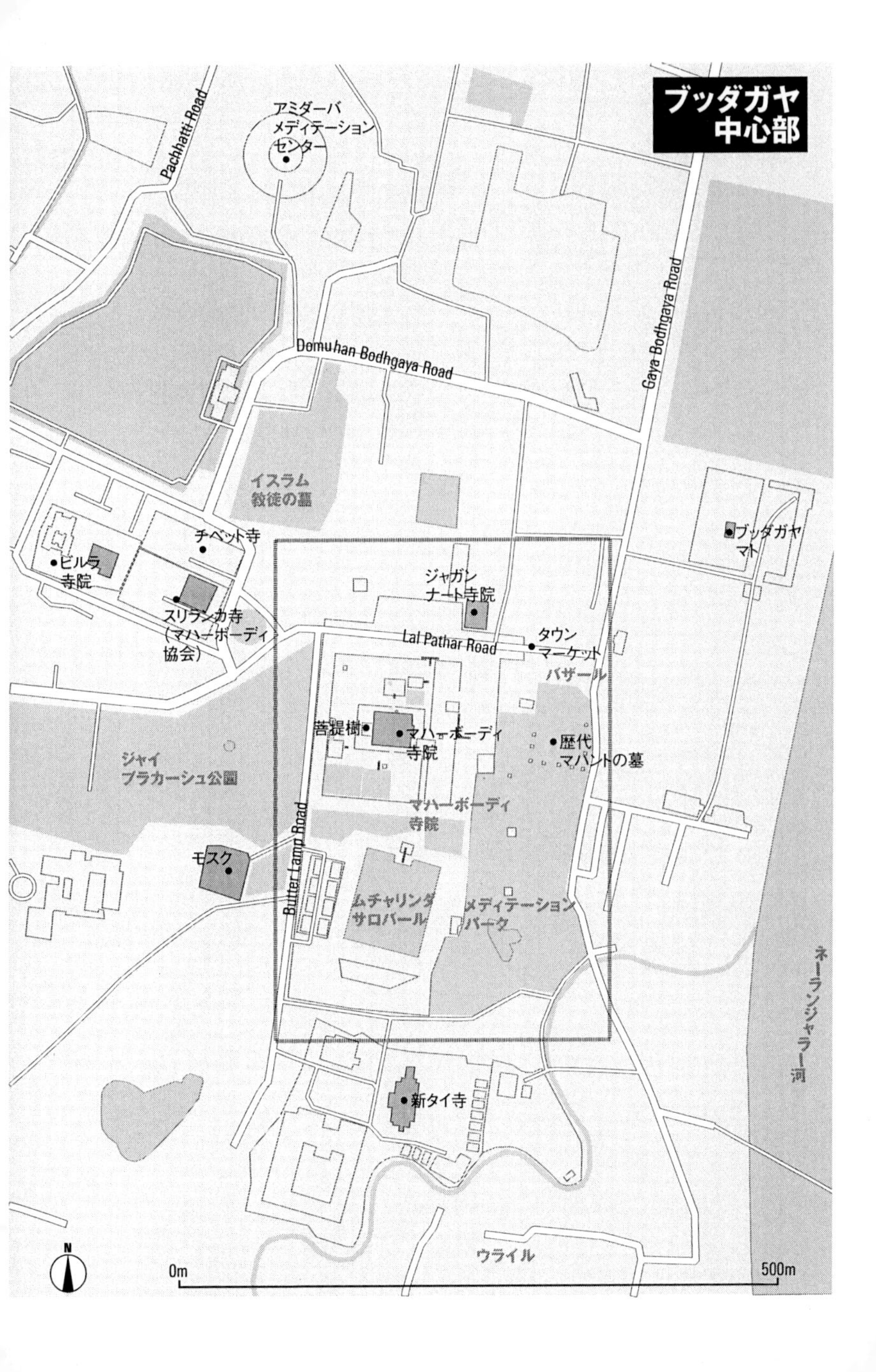
ブッダガヤ
中心部
アミダーバ
メディテーション
センター
Pachhatti Road
Domuhan Bodhgaya Road
Gaya-Bodhgaya Road
イスラム
教徒の墓
チベット寺
ビルラ
寺院
スリランカ寺
(マハーボーディ
協会)
ジャガン
ナート寺院
ブッダガヤ
マト
Lal Pathar Road
タウン
マーケット
バザール
菩提樹
マハーボーディ
寺院
歴代
マハントの墓
ジャイ
プラカーシュ公園
マハーボーディ
寺院
モスク
Butter Lamp Road
ムチャリンダ
サロバール
メディテーション
パーク
ネーランジャラー河
新タイ寺
ウライル
N
0m
500m

マハーボーディ寺院公園 ★★★

Mahabodhi Temple Complex ㋪ महाबोधि मंदिर परिसर／
㋒ مہابودھی مندر کمپلیکس

紀元前6世紀にブッダがそのもとで悟りを開いた菩提樹、紀元前3世紀のアショカ王による大塔、金剛宝座というように、後世に追加、修復されて現在の姿になったマハーボーディ寺院。マハーボーディ寺院の大塔は5〜6世紀のグプタ朝後期に建てられたたたずまいを今に伝えるが、長らく仏教聖地としては放棄され、ヒンドゥー教徒の領主マハントが領有していた。そしてマハーボーディ寺

★★★

マハーボーディ寺院 *Mahabodhi Mahavihara*
菩提樹 *The Sacred Bodhi Tree*
大仏（80フィート・ブッダ） *80 Feet Buddha Statue(The Great Buddha Statue)*

★★☆

タウン・マーケット（バザール） *Town Market*
各国仏教寺院 *Buddhist Temples*
タイ寺（ロイヤル・ワット・タイ） *Wat Thai Buddhagaya*
ブータン寺 *Royal Bhutan Monastery*
日本寺（印度山日本寺） *Japanese Temple*
スジャータ村（セナーニ村） *Sujata Village*
スジャータ・ガル *Sujata Garh(Sujata Stupa)*

★☆☆

ムチャリンダ・サロバール（第6週目） *Muchalinda Sarovar*
メディテーション・パーク *Meditation Park*
歴代マハントの墓 *Tombs of Mahants*
スリランカ寺（マハーボーディ協会） *Sri Lanka Monastery(Maha Bodhi Society of India)*
チベット寺（ゲルク派チベット寺） *Tibetan Monastery*
ミヤビガ（シッダールタナガル） *Miya Bigha*
ジャイ・プラカーシュ公園 *Jayprakash Park*
ビルラ寺院 *Shree Birla Dharamshala*
モスク *Masjid*
ワット・パ・ブッダガヤ・バナラム寺（新タイ寺） *Wat Pa Buddhagaya Vanaram Temple*
ウライル *Urel*
ジャガンナート寺院 *Jagannath Mandir*
ブッダガヤ・マト *Bodh Gaya Math*
イスラム教徒の墓 *Kabristan*
ビルマ寺（ミャンマー寺） *Burmese Monastery*
アミダーバ・メディテーション・センター *Amitabha Meditation Center*
ネーランジャラー河 *Niranjana River*
ブッダ・クサ草寺 *Buddha Kusa Grass Temple*
ニュー・タラディ村（バガルプル） *Bhagalpur*
テルガル僧院 *Tergar Monastery*

院の整備は、イギリス植民地時代の19世紀に仏教聖地が「発見」されていく過程で進められた。インド政府の許可を受けて、1874年に仏教国ビルマのミンドン王が寺院を修復し、その後、1861年に設立されたインド考古調査局のもと、マハーボーディ寺院の発掘、修復作業が1884年にいったん完成した（東南アジア諸国は、この寺院の維持、再建に大きな役割を果たし、東南アジアには大塔と同じかたちの仏教寺院がいくつも建てられている）。1947年のインド独立以後、マハーボーディ寺院はビハール州の管理となり、以後、聖地の整備は続き、マハーボーディ寺院を中心に、南側にはムチャリンダ池が広がり、東側は1590年よりブッダガヤを領有してきた歴代マハントの墓域となっている。世界遺産にも登録されていて、多くの仏教徒がマハーボーディ寺院公園を目指して巡礼に訪れる。

各国仏教寺院 ★★☆

Buddhist Temples／Ⓗबोधगया के मठ／Ⓤبودھ گیا خانقاہ

仏教最高の聖地マハーボーディ寺院の周囲には、30か国以上の仏教寺院が立っている。19世紀以来、ブッダガヤでの仏教復興運動を進めたマハーボーディ協会による1903年創建のスリランカ寺はじめ、20世紀初頭にチベット寺、中国寺、ビルマ寺が建てられた。これらの仏教寺院はマハーボーディ寺院の北側から西側にならんでいる。そして、1956年のブッダ生誕2500年祭で、インド首相ネルーがブッダガヤに国際仏教社会をつくる提案をしたことで、各国仏教寺院の建立が本格的にはじまった（上座部仏教に伝わるブッダ入滅年から、ブッダの寿命80歳を逆算して、生誕2500年は計算された）。まず1956年にタイ寺が建てられ、その後、日本やブータン、チベット諸派、カンボジアなどの仏教寺院がマハーボーディ寺院南西のマスティプルの地にならぶようになった。この仏教寺院には、インドからスリランカをへて東南アジアに伝わった上座部仏教（南伝仏教）と、インドからチベットや中央アジア、中国経由で伝わった大乗仏教(北伝仏教)という、大きくわけてふたつの系統がある。寺のおもむきや建築が宗派や国で異なり、世界各国からブッダガヤを訪れた巡礼者はそれぞれの寺院で宿泊する。

ブッダガヤという名前

ヒンドゥー聖地のガヤに対して、「ブッダガヤ(ブッダのガヤ)」という街名は後世になって定着した(正式にはボードガヤー Bodh Gayaと表記される)。ブッダが生きた時代、この地はウルヴェーラの森(苦行林)と呼ばれ、ウルヴェーラという名称は、「砂の丘」「波打つ地」「たくさんの池」といった意味で、いずれもネーランジャラー河ほとりのこの地の情景が地名化された(たとえばこの地に暮らしていたカッサパ三兄弟の長男は、ウルヴェーラ・カッサパといった)。そしてシッダールタが悟りを開いてブッダとなったあと、ボーディマンダ、バジラーサナ、ブッダガヤといった名前で呼ばれるようになった。玄奘三蔵は「菩提樹(の場所)」と記し、マハーボーディ、菩提といった名前で知られていたが、仏教が滅んだのち、ヒンドゥー教徒が意図的にヒンドゥー聖地ガヤと関連づけて、「ブッダガヤ(ヴィシュヌ神第9の化身ブッダのガヤ)」という名称を使ったともいう。ウルヴェーラという名称は、マハーボーディ寺院南側のウライルという集落名で残っている。

象使いと象が進む街なかの様子

新鮮なフルーツがバザールにならぶ

仏教徒の巡礼者と動物が往来する街角

熱心に仏典を読む仏僧、マハーボーディ寺院にて

Mahabodhi Mahavihara

大菩提寺鑑賞案内

菩提樹のしたで瞑想をはじめたシッダールタは
ついに悟りを開き「ブッダ（目覚めた人）」となった
悟りを開いたその場所には今も菩提樹が立つ

マハーボーディ寺院 ★★★

Mahabodhi Mahavihara／Ⓗ महाबोधि विहार／Ⓤ مہابودھی وہار

今から2500年昔、この世の苦しみからの解脱を求めて出家した釈迦族の王子シッダールタが、悟りを開いた場所の菩提樹の地に立つマハーボーディ寺院。マハーボーディという言葉はもともと聖なるピッパラの木（菩提樹）をさし、マハーボーディ寺院とは「偉大な悟りの寺院」を意味し、「ブッダガヤの大菩提寺」ともいう。悟りとはあらゆるものが関わりあいながら存在するという「縁起の理法」のことだとされ、ブッダはここで「四諦八正道（4つの真理と8つの正しい行ない）」を会得した。紀元前3世紀ごろ（紀元前260年ごろ）、アショカ王が仏教僧ウパグプタに導かれて祠堂を整備したことを寺院のはじまりとし、当時は仏像の制作が認められていなかったため、菩提樹の木と、砂岩製の金剛宝座、それらを囲む石の欄楯、蓮池だけのものだった。その後、グプタ朝時代の5～6世紀には、天をつくような高さ50mもの大塔がそびえ、現在の伽藍の原型ができあがっていたと考えられる。850年にベンガルのパーラ朝ダルマパーラが修復したという記録、11世紀に床が花崗岩で敷きつめられたという記録、1157年に地方領主のアショカバーラ王が修復したという記録が残り、荒廃と再建を繰り返しながら、やがて仏教はヒンドゥー教に吸

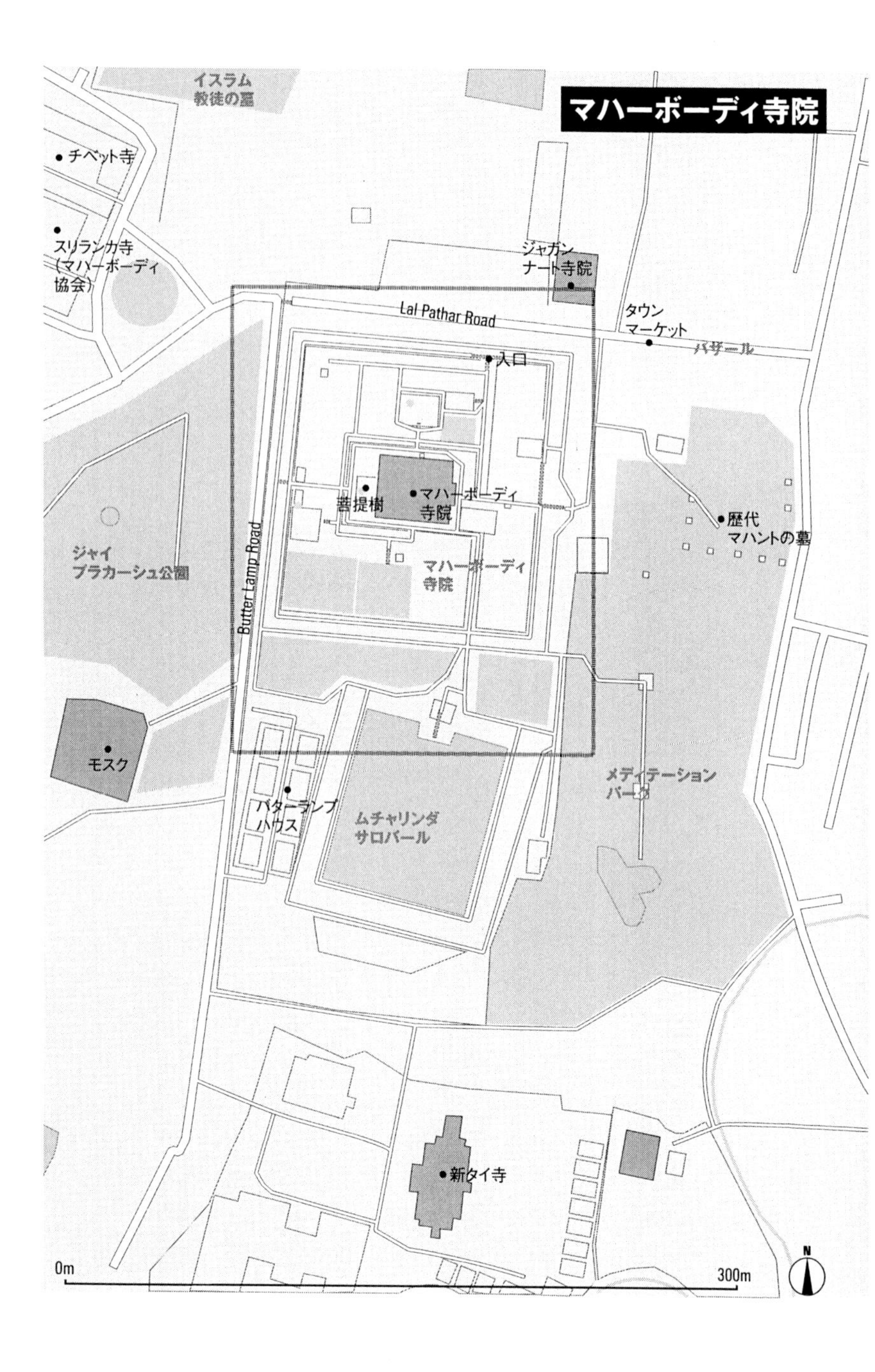
マハーボーディ寺院
イスラム教徒の墓
チベット寺
スリランカ寺（マハーボーディ協会）
ジャガンナート寺院
Lal Pathar Road
タウンマーケット
バザール
入口
マハーボーディ寺院
菩提樹
歴代マハントの墓
ジャイプラカーシュ公園
Butter Lamp Road
マハーボーディ寺院
モスク
メディテーションパーク
バターランプハウス
ムチャリンダサロバール
新タイ寺
0m
300m
N

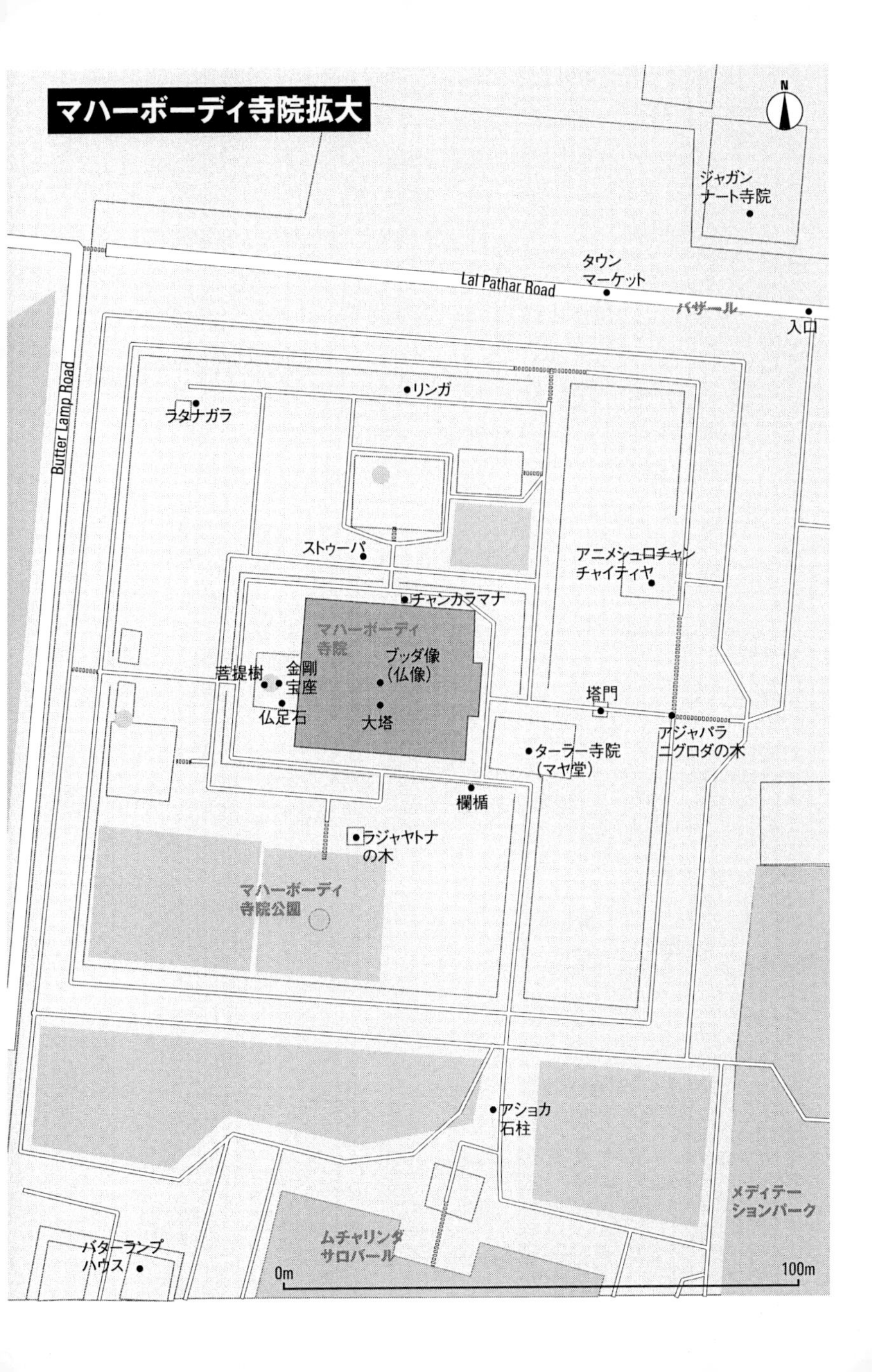
マハーボーディ寺院拡大
N
ジャガン
ナート寺院
タウン
マーケット
Lal Pathar Road
バザール
入口
Butter Lamp Road
リンガ
ラタナガラ
ストゥーパ
アニメシュロチャン
チャイティヤ
チャンカラマナ
マハーボーディ
寺院
ブッダ像
(仏像)
菩提樹
金剛
宝座
仏足石
大塔
塔門
アジャパラ
ニグロダの木
ターラー寺院
(マヤ堂)
欄楯
ラジャヤトナ
の木
マハーボーディ
寺院公園
アショカ
石柱
メディテー
ションパーク
ムチャリンダ
サロバール
バターランプ
ハウス
0m
100m

収され、イスラム勢力の侵入で、13世紀にインドからついえてしまった。その後、巡礼者が訪れた14世紀の石刻が残り、ベンガルの女王が15世紀に改修したともいうが、16世紀以降、マハーボーディ寺院は地方領主マハントの私有物になり、ヒンドゥー教シヴァ派の巡礼地となっていた。そしてインドがイギリスの植民地となった19世紀、この地はブッダが悟りを開いた仏教聖地であることが「発見」され、とくに仏教国ミャンマーやスリランカの尽力のもと、仏教復興運動が進められた。2002年にマハーボーディ寺院は世界文化遺産に登録され、仏教聖地ブッダガヤの象徴的建築として世界中の仏教徒が訪れている。

★★★

マハーボーディ寺院公園 *Mahabodhi Temple Complex*
マハーボーディ寺院 *Mahabodhi Mahavihara*
大塔 *Mahabodhi Temple*
菩提樹 *The Sacred Bodhi Tree*

★★☆

タウン・マーケット(バザール) *Town Market*
ブッダ像(仏像) *Buddha Statue*
アニメシュロチャン・チャイティヤ(第2週目) *Animeshlochan Chaitya*

★☆☆

塔門 *Ashoka Gate*
金剛宝座(第1週目) *Vajrasana*
欄楯 *Balustrade*
チャンカマナ・チャイティヤ(第3週目) *Cankamana Chaitya*
ラタナガラ(第4週目) *Ratanaghara*
アジャパラ・ニグロダの木(第5週目) *Ajapala Nigrodha Tree*
ラジャヤトナの木(第7週目) *Rajayatna Tree*
ターラー寺院(マヤ堂) *Tara Temple*
バター・ランプ・ハウス *Butter Lamp House*
リンガ *Lingam*
ムチャリンダ・サロバール(第6週目) *Muchalinda Sarovar*
メディテーション・パーク *Meditation Park*
歴代マハントの墓 *Tombs of Mahants*
スリランカ寺(マハーボーディ協会) *Sri Lanka Monastery(Maha Bodhi Society of India)*
チベット寺(ゲルク派チベット寺) *Tibetan Monastery*
ジャイ・プラカーシュ公園 *Jayprakash Park*
モスク *Masjid*
ワット・パ・ブッダガヤ・バナラム寺(新タイ寺) *Wat Pa Buddhagaya Vanaram Temple*
ジャガンナート寺院 *Jagannath Mandir*
イスラム教徒の墓 *Kabristan*

マハーボーディ寺院の構成

ブッダが菩提樹のもとで東向きに坐って悟りを開いたことから、マハーボーディ寺院は東を向き、入口にあたる「塔門」、高さ52mの「大塔(大精舎)」、ブッダが坐って瞑想した「金剛宝座」、悟りを開いた場所に立っていた「菩提樹」というように、東西の軸線を中心に構成される。大塔に安置されている仏像の場所が、ブッダが悟りを開いたところで、後世にそこに大塔が建てられたことから、菩提樹や金剛宝座は当初の場所から少し移動している。また悟りを開いたブッダは、その後の1週間(7日間)は金剛宝座(第1週)のもとにいたが、7日間ずつあわせて7週間(49日)、マハーボーディ寺院境内の各所で瞑想して過ごした。それらはブッダが菩提樹のほうを眺めたという「アニメシュロチャン・チャイティヤ(第2週)」、ブッダが歩いて往復した「チャンカマナ・チャイティヤ(第3週)」、縁起の理法の順逆を考えた「ラタナガラ(第4週目)」、人類の平等を説いた「アジャパラ・ニグロダの木(第5週目)」、龍王がブッダの瞑想を雷雨から守った「ムチャリンダ・サロバール(第6週目)」、49日目を迎えた「ラジャヤトナの木(第7週目)」というように残っている。この49日のあいだ、ブッダは食物をとらず、沐浴もせず、口もすすがず、用便もなく、瞑想の楽しみと、悟りの楽しみと、その結果の楽しみにひたっていた(煮た蜜入りのミルク粥を、ターラ樹のひとつだねの実ほどの大きさの49個の団子にして、1日ひと粒食べたという)。そしてその後、ブラフマー神の勧めもあって、サールナートへ向かい、仏教の教えを説いた。13～19世紀まで仏教聖地であることは忘れられ、ヒンドゥー教シヴァ派巡礼地となっていたことから、シヴァ神のリンガが立ち、ヒンドゥー建築様式のシカラ屋根をもつマハーボーディ寺院にヒンドゥー教の巡礼者も訪れる。

中国僧の記録が映すブッダガヤ

13〜19世紀の長いあいだ放棄され、ブッダが実在の人物であることや、仏教聖地であることも忘れられていたブッダガヤ。「歴史のない国」と言われ、碑文は残るものの記録の多くが口頭で伝承されていくインドの文化もあいまって、「ブッダやアショカ王がいつ生きたのか」という正確な年月はわかっていない。一方で、文字(漢字)が文化の中心にある中国では、司馬遷の『史記』が知られるように歴史を詳細に記述し、後世にそれを伝えてきた。中国への仏教伝来は1世紀のことだとされ、のちによりブッダの教えに忠実な仏典を求めてインドを旅した中国人仏教僧たちの記録が、ブッダガヤや当時のインドを知るための重要な材料となっている。399年、60歳を超えてから長安を発って、409年にブッダガヤを訪れた法顕(337年ごろ〜422年ごろ)、629年に長安を発ち、中央アジアからインド各地を旅した玄奘三蔵(602〜664年)、玄奘を追うように海路でインドに向かった義浄(635〜713年)などが残した記録がそれで、とくに孫悟空を連れた三蔵法師の物語『西遊記』でも知られるようになった玄奘三蔵の『大唐西域記』が名高い。630年、マガダ国のナーランダ僧院で5年間学び、637年にブッダガヤを訪れた玄奘三蔵は、東インドから南インド、西インドというようにインド全域に足を運び、645年に長安に戻った。当時の中国(唐)では国外へ出ることは許されていなかったが、ときの太宗(李世民)は玄奘三蔵を歓迎し、その後、玄奘三蔵は膨大なサンスクリット語の経典を20年間かけて中国語に翻訳した。この中国僧の記録のなかで、5世紀の法顕はマハーボーディ寺院の大塔を記していないが、7世紀の玄奘三蔵は大塔や寺院の詳細な様子を記しているため(また建築様式などから)、マハーボーディ寺院は5〜6世紀に建てられたと考えられている。

豊かな緑が広がるマハーボーディ寺院公園

5〜6世紀のグプタ朝時代の建築だという

何度も修復されて現在にいたる

ブッダが悟りを開いた場所に安置されているブッダ像

塔門 ★☆☆

Ashoka Gate／Ⓗ अशोक गेट／Ⓤ آشوکا گیٹ

ブッダが東を向いて菩提樹のもとに坐り、悟りを開いたことから、マハーボーディ寺院への塔門(入口)は東側に立つ。この門は紀元前3世紀にマウリヤ朝のアショカ王が寺院建設にあわせてつくった門を前身とする。時代がくだった19世紀に現在の場所にビルマ人が塔門を建てたが、寺院の調査修復を行なったイギリス人カニンガムが古い塔門の一部をこの地で発掘し、そのオリジナルの塔門をもとに新たな塔門が再建された。塔門を「トーラナ」と呼び、サンチーのストゥーパなどでも確認できるトーラナは、聖域への入口におかれるもので、日本の神社で見られる鳥居との関係性が指摘される。

大塔 ★★★

Mahabodhi Temple／Ⓗ महाबोधि मंदिर／Ⓤ مہابودھی مندر

マハーボーディ寺院の本堂にあたり、天をつくようにそびえる高さ52mの四角すいの大塔。大精舎、マハーボーディ・マハーヴィハーラともいい、ブッダが悟りを開いた場所に、紀元前3世紀ごろ(紀元前260年)、アショカ王が建てたことをはじまりとする(なかにはブッダの遺灰である仏舎利ではなく、仏像が安置されているため、大塔は正確には仏塔ではなく、精舎、仏殿という性格をもつ)。グプタ朝時代の5～6世紀ごろ、あるバラモンがそれを大きくして今の伽藍を建て、637年にこの地を訪れた玄奘三蔵は、高さ50mほどのこの大塔の様子を記している。1035年、1079年に大塔の修復を行なったという記録が残り、以後、イスラム勢力による仏教滅亡とともに仏教寺院としては放棄されていた。その後、英領インド時代の1874年の仏教国ビルマのミンドン王による寄進と修復、続くイギリス考古学者たちの調査、改修によって1884年に現在の姿となった。青みがかった煉瓦づくりの四角すいの外壁には、大きな窓、仏龕がほどこされ、本体四方に同型の小さな塔をしたがえる。大塔の外観は9層だが、なかは2階建て、内部には黄色い袈裟をまとった金箔の仏像が安置されている。多くの仏教徒がこの大塔を目指して巡礼し、ブッダ像を前に手をあわせてお祈りをする姿が見られる。

ブッダ像（仏像）★★☆

Buddha Statue／㋪ बुद्ध प्रतिमा　㋒ [illegible]

大塔内に安置されている黄色い袈裟をまとった金色のブッダ像（仏像）。ブッダ死後、500年ほどは仏像はつくられず、紀元前3世紀にアショカ王がはじめてマハーボーディ寺院を建てたときも、仏像はおかれていなかった（それまでブッダの姿は菩提樹「悟り」や、法輪「仏教」で象徴的に示されていた）。ブッダの像（仏像）は2世紀ごろにはつくられていたと考えられ、マハーボーディ寺院で最初に追加されたのは仏像であった。大塔内の仏像については、637年にブッダガヤを訪れた玄奘三蔵が記録を残している。大自在天（シヴァ神）を信仰するあるバラモンの兄弟がヒマラヤに行くと、「菩提樹のもとで精舎をつくり、蓮池を掘るとよい」と言われた。そして、兄が大塔を建て、弟が蓮池を掘り、あとは仏像をつくるだけとなった。そこへ別のバラモンがやってきて、「私は香泥だけで、ブッダの妙相をつくることができる」「（大塔内を照らす）灯火もおいて、かたく入口の戸を閉め、6か月後に門を開けるように」と言った。6か月後、その言葉通り、足を組み、左手をおさめて、右手を垂れる、降魔印の見事な仏像が東面して坐っていたという。大塔内のブッダ像は、高さ2mほどで、玄奘三蔵の見た仏像よりは小さく、それとは異なり、パーラ朝（8～12世紀）時代のものと考えられている。このブッダ像は長らくヒンドゥー教徒の領主マハンタの邸宅にあり、マハーボーディ寺院のこの場所には仏像はなかったが、マハンタから返還された仏像をミャンマー人が金色に塗って現在の

ブッダが東を向いて悟りを開いたことから寺院は東向きに立つ

塔門、その奥にターラー寺院、大塔が見える

菩提樹、現在の木は5代目だという

ブミスパルサ・ムドラのポーズで瞑想するブッダ像

姿となった。玄奘三蔵の記録通り、ブッダ像はパドマ・アサナ(結跏趺坐)の変形したブミスパルサ・ムドラのポーズで瞑想していて、穏やかなたたずまいを見せる(右足を上向きにして左太もものうえにおき、左足を右太もものうえにおいて足を交差させる。右手を下にたらして大地を指し、左手は交差した足のうえにおく)。そして、このブッダ像のある場所こそ、ブッダが悟りを開いた場所だとされ、大塔の建設にあわせて菩提樹と金剛宝座は現在の場所に遷された。

悪魔の誘惑

菩提樹のもとで今まさに悟りを開こうとするブッダに対し、それを妨害しようと悪魔はさまざまな誘惑や脅迫を試みた。ブッダを襲う魔軍、美しい娘の誘惑、街や村をふき飛ばすほどの旋風、大雨、炭火の雨、熱い灰の雨、砂の雨、泥の雨、暗闇の雨。しかし、悪魔たちはブッダに向かったとたんに逃げ出し、旋風はブッダの衣の端を動かすこともできず、大雨はブッダの衣を一滴もしめらせることができなかった。そして、この煩悩に打ち克ったブッダの姿を、「降魔成道(悪魔を降して、道を成す)」という。ブッダの降魔成道について、初期の仏典では「6年間(7年間)、供物を捧げて火の祭祀をするように」と悪魔につきまとわれる様子が描かれているが、後世の仏典では悟りの直前に集中して悪魔が誘惑したことになっている。

菩提樹 ★★★

The Sacred Bodhi Tree/㋪ बोधि वृक्ष ㋒ بودھی درخت

ブッダが木の下で、瞑想して悟りを開いたことから信仰を集めている菩提樹。古代インドの修行者は、灼熱の太陽をさけるため、しばしばピッパラ樹(菩提樹)の木かげで瞑想を行なっていた。紀元前6世紀ごろ、苦行をやめたブッダはネーランジャラー河で沐浴し、この菩提樹を背にして東に向かって坐り、瞑想をはじめた。そして、「縁起の理法」「四諦八正道」を会得して悟りを開いた。現在の菩提樹はもとの木から数えて5代目のものだといい、ブッダ時代の菩提樹からとった若木は、アショカ王の娘によってスリランカのアヌラダープラにまで運ばれた（この菩提樹は紀元前250年ごろ植えられたというが、ベンガルのシャシャーンカ王、バフティヤール・ハルジーなどから、たび重なる伐採を受け、その後、スリランカから逆輸入されるなどした）。菩提樹はサンスクリット語ではピッパラ、ヒンディー語でアシュヴァッタ、またヴァットともいい、バニヤン樹の一種であるという。インドの真夏である5月には落葉し、すぐ新たな葉が生えるなど、その成長は早く、夏になると黄白色から緑色になる。この菩提樹は、大塔が建てられたのち、基壇の上部へ高く植え替えられ、そのもとには金剛宝座が位置するほか、後世になってそばに仏足石がおかれた。仏像制作が認められなかった当初、ブッダの誕生を「白象」、初転法輪を「鹿（鹿野園）」、涅槃を「ストゥーパ」と表現したように、悟りを「菩提樹」で表した。インドでは菩提樹（ブッダガヤ）は、ブッダ誕生ゆかりの木である無憂樹（ルンビニ）、涅槃に入るときの娑羅双樹（クシナガラ）とともに三大聖樹とされる。

金剛宝座（第1週目）★☆☆

Vajrasana／Ⓗ वज्रासन　Ⓤ وجراسن

ブッダが悟りを開くために坐って瞑想を行なった地点におかれた金剛宝座。紀元前3世紀ごろにアショカ王が設置した赤砂石製のものをはじまりとし、1881年に半分埋まった状態の大塔を発掘したとき、金剛宝座も発見された。金剛宝座とは「瞑想＝金剛定（金剛三昧）をした宝座」という意味で、のちにダイヤモンドを金剛とたとえたように、金剛はどこまでもとどこおりがなく堅固で、ブッダはここで心をとぎすませ集中して極みに達した（『ヴェーダ』で最強の神インドラは金剛ヴァジラを手にし、仏典ではそれを金剛杵と呼ぶ)。古代インドの世界観では、世界の底辺に風輪があり、そのうえに水輪、そのうえに輪形の金剛からなる金輪がある。そして、そのさらにうえに山、海などの広がる地輪(地表)が広がるという。この金剛宝座は、下は金輪(金剛)に達し、上は地面に露出したところで、決してゆらぐことはなく、地球のへそにあたる。アショカ王の金剛宝座は当初、現在の大塔内仏像の地点にあったが、マハーボーディ寺院の建設のために今の場所に遷された。

欄楯 ★☆☆

Balustrade／㋪रेलिंग／㋒ریلنگ

欄楯はブッダの悟りを開いた聖域を囲むもので、マハーボーディ寺院は、紀元前3世紀にアショカ王が菩提樹の周囲を砂岩の欄楯で囲んだことにはじまる。アショカ王は北、西、南の三方で欄楯で囲み、東側を入口として菩提道場とした。その後、いくども改修、増築が進んだマハーボーディ寺院にあって、この欄楯は寺院の遺構のなかでもっとも古く、紀元前2世紀のシュンガ朝時代、後期のものはグプタ朝時代にさかのぼるという(インド全体を見ても、バールフットより新しく、サーンチーよりも古い)。碑文だけでなく、ブッダにまつわる説話ジャータカ、人の顔やペルシャの影響だという有翼の獅子や馬といった動物、植物などの彫刻がほどこされ、インド美術の傑作にあげられる。非常に価値が高いものなので、レプリカが代わりにおかれ、本物は遺跡南西の博物館に安置されている。

アニメシュロチャン・チャイティヤ(第2週目) ★★☆

Animeshlochan Chaitya　㋪अनिमेश लोचन चैत्य　㋒انیمیش لوچن چیتیا

アニメシュロチャン・チャイティヤとは「開眼」した聖域を意味し、大塔よりこぶりの寺院が立つ(チャイティヤとは「礼拝対象＝聖域」を指すサンスクリット語)。菩提樹のもとでブッダは悟りを開いてから、1週目はその場から動かなかった

大塔の仏龕におかれた仏像

悟りを開いたブッダが2週目を過ごしたアニメシュロチャン・チャイティヤ

が、2週目にこのアニメシュロチャン・チャイティヤの場所までやってきて、ここで7日間を過ごした。そしてブッダは自分を悟りへ導いた菩提樹を、立ったままで、まばたきをせずに眺めていたという。中央の小道の北側の高台に立つ。

チャンカマナ・チャイティヤ(第3週目) ★☆☆

Cankamana Chaitya／Ⓗ चंकामाना चैत्य　ⓤ چنکامانا چیتیہ

ブッダが、悟りを開いてから3週間目に菩提樹の北側に行き、東西に散策して、思索をめぐらせた場所のチャンカマナ・チャイティヤ。チャンカマナとは「小道」を意味し、ブッダはここで往復18歩歩いて過ごし、ブッダの歩いた跡には蓮の花が咲いたという。そのため、蓮花の石彫彫刻がいくつも見られる(紀元前3世紀にアショカ王につくられたのがはじめてで、当時は天蓋におおわれていたという)。仏教では、精神を統一して歩くという修行を経行ということから、この場所は「経行処」とも呼ばれ、ブッダが歩きながら瞑想したこの場所は「宝石の歩廊」にもたとえられた。またチャンカマナ・チャイティヤは人の生命の長短を示すと言われ、その人が心をこめて見れば、寿命の長短によって、見える長さも増減するという。玄奘三蔵は「ブッダは7日間、菩提樹のそばを立たずに禅定に入っていたが、そこから起き上がってここを散策した」と記している(このチャンカマナ・チャイティヤが2週目)。

ラタナガラ(第4週目) ★☆☆

Ratanaghara／Ⓗ रत्नाघारा／ⓤ رتناگھرا

ラタナガラは悟りを開いたブッダが4週目を過ごした場所で、「七宝堂(宝石の家)」を意味する。この北西隅のラタナガラは梵天(ブラフマー神)が七宝の堂を建て、帝釈天(インドラ神)は七宝の座をつくってブッダに捧げた。ブッダはここで悟りの内容である縁起の理法(「無明から老死にいたる12

ブッダが歩いた足あとには蓮花が咲いたという

紀元前3世紀、アショカ王が金剛宝座をおいた

マハーボーディ寺院の聖域を囲む欄楯

ここをブッダが東西に歩いた、チャンカラマナ・チャイティヤ

の要素は、常にひとつひとつが関係する」）とその順逆を考えた。そして、そのときブッダの身体から6つの色の光が放たれたといい、このときの話をもとに仏教では6色の旗が使われる。

アジャパラ・ニグロダの木（第5週目）★☆☆

Ajapala Nigrodha Tree／㋪ अजपाला-निग्रोधा वृक्ष　㋒ اجاپالا نگرودھا درخت

アジャパラ・ニグロダの木は、悟りを開いた5週目にブッダが梵天（ブラフマー神）の問いに答えて、人類の平等を説いた場所。そして、その教えに感銘を受けた羊飼いの少年が木を植えたという（アジャパラとは「山羊を守るもの」の意味で、バニヤン樹の一種）。また悟りを開いたばかりのブッダは、このあたりで象の王の姿でせまってきた悪魔を打ち負かしたという。マハーボーディ寺院の東の入口近くで、ブッダ時代にアジャパラ・ニグロダの木があった場所を示す柱が立つ。

ラジャヤトナの木（第7週目）★☆☆

Rajayatna Tree　㋪ राजयातना वृक्ष／㋒ راجایاتنا درخت

菩提樹の南東に立つラジャヤトナの木は、悟りを開いて7週目にブッダが過ごした場所。ここで1週間瞑想してちょうど悟りの日から49日がたったとき、タプッタとバッリカというふたりのビルマ商人が偶然、この地を通りがかった。「49日のあいだブッダはほとんど何も食べていない」「何かを差しあげれば福徳を得るだろう」という話を聞いて、ふたりはブッダに餅と蜜を献じた。そしてブッダの教えの素晴らしさを目のあたりにして、最初の信仰者となった（当時、サンガはなかった）。ふたりはブッダから八筋の仏髪を授けられ、それを現在のシュエダゴン・パゴダ（ヤンゴンの仏塔）にまつったという。

ターラー寺院（マヤ堂） ★☆☆

Tara Temple　Ⓔतारा मंदिर／Ⓤتارا مندر

ブッダガヤ大塔の手前（南東側）に立つターラー寺院。ブッダが母のマヤ夫人に教えを説いたところ、だと言われ、マヤ堂ともいう。19世紀にはここに何もなかったが、のちの時代に建てられた。ヒンドゥー教のターラー女神（仏教における多羅菩薩）をまつる。

バター・ランプ・ハウス ★☆☆

Butter Lamp House／Ⓔबटर लैंप हाउस／Ⓤبٹر لیمپ ہاؤس

菩提樹の南西部に位置するバター・ランプ・ハウス。仏教では仏に火をそなえる灯明を行ない、日本などではろうそくを使うが、チベット仏教ではヤクのバターを燃やすバター・ランプを使う。そのためバター・ランプ・ハウスでは、マハーボーディ寺院に巡礼に訪れるチベット仏教徒が祈りを捧げる姿が見られ、内部はお香と灯明で満たされている。当初は、菩提樹により近い場所で炎が燃えていたが、この地に遷された。

リンガ ★☆☆

Lingam／Ⓔशिवलिंग／Ⓤشیو لنگم

ブッダガヤとマハーボーディ寺院は、ムガル帝国の16世紀以来、ヒンドゥー教シヴァ派のマハントの領地であり、長らくマハーボーディ寺院はシヴァ派の聖地として機能していた（マハントの邸宅と寺院ブッダガヤ・マトは東側に隣接する）。そうした事情から、ブッダガヤ寺院の境内には、信徒によって寄進された無数のシヴァ・リンガが立つ。リンガとは生命を育む男性器が象徴的に表現されたもので、ヒンドゥー教のシヴァ神そのものと見られる（これらは仏教徒の側からは仏塔ストゥーパのように映る）。マハーボーディ寺院では、仏教とヒンドゥー教シヴァ派との習合が進み、現在も多くのヒンドゥー教徒が訪れる。

仏教僧の巡礼は法顕、玄奘三蔵の時代から続いている

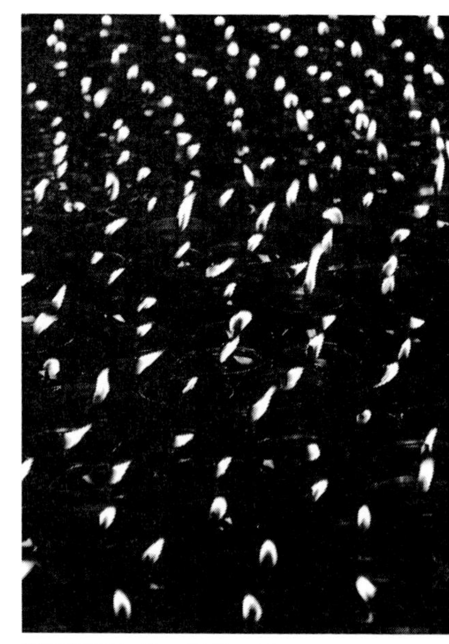
灯明がゆらめく、バター・ランプ・ハウス

ブッダを守る龍の神さま、ムチャリンダ・サロバール

五体投地をするチベット仏教僧

ムチャリンダ・サロバール（第6週目）★☆☆

Muchalinda Sarovar ㋪मूचालिंडा सरोवर／㋒مچلندا سرور

マハーボーディ寺院の囲いの南側に広がる沐浴池のムチャリンダ・サロバール。ここはブッダが悟りを開いてから6週目を過ごした場所で、ブッダは西岸の小さな精舎で座禅して7日間の瞑想に入った。すると、激しい雷雨が起こって気温もさがり、ブッダの身体に雨がふりそそいだ。それを見た龍王ムチャリンダは宮殿より出てきて、ブッダの身体を七重にとり巻いて包み込み、7つの頭をもって大きな傘とし、瞑想するブッダを守った（この龍神＝蛇神崇拝は、古代インドの原住民のあいだで行なわれ、ナーガやヤクシャは土着の信仰がヒンドゥー教に入ったもの）。当時、ムチャリンダ・サロバールの水はきれいな黒みががった色で、その味は美味だったという。池の中央には、ビルマの彫刻家による、龍王ムチャリンダに守られているブッダの像が見られる。

メディテーション・パーク ★☆☆

Meditation Park ㋪मैडिटेशन गार्डन／㋒مراقبہ پارک

ムチャリンダ・サロバールの東側に広がり、緑と静けさに包まれたメディテーション・パーク（瞑想公園）。2002年の世界遺産登録にあわせて新たに整備された公園で、祈りの鐘、噴水をもつ池が見られ、マハーボーディ寺院の大塔を望むことができる。玄奘三蔵は、かつてこのあたりに林が広がり、ブッダが苦行したり、散策した場所があったと記している。

歴代マハントの墓 ★☆☆

Tombs of Mahants ㋪महंत का कब्र／㋒مہنت کا مقبرہ

16〜20世紀のあいだ、ブッダガヤを領地とした地方領主マハント。ムガル帝国時代の1590年にヒンドゥー教シヴァ派の聖者ガマンディ・ギリがこの地に定住し、その子孫が1628年にムガル帝国から土地の管理権を得て以来、マハントの一族はブッダガヤで絶大な力をふるってきた。そして、かつてマハントの私有物であったマハーボーディ寺院に隣接して、歴代マハントが眠る墓地が位置する。本来、ヒンドゥー教徒は火葬して墓をつくる習慣はないが、イスラム教を信仰するムガル帝国の影響のもと、マハントをはじめとしたヒンドゥー上位階層者の墓がつくられるようになった。重厚な石づくりの四角すいの屋根をもつ歴代マハントの墓廟がならんで立ち、この歴代マハントの墓の北東側に、マハントの寺院、邸宅をかねたブッダガヤ・マトが位置する。

Nihon Ni

日本に伝わった仏教

今から2500年も昔にインドで生まれた仏教
その教えは長い時間をかけ、アジア全域に広がった
キリスト教、イスラム教とならぶ世界宗教

大乗仏教と上座部仏教

多くの日本人が信仰している仏教は、インドから中央アジア、中国をへて伝えられた大乗仏教(北伝仏教)の一派で、東南アジアやスリランカなどで信仰されている上座部仏教(南伝仏教)とは異なる。仏教初期の姿をとどめていると言われる上座部仏教が、「自らの修行によって解脱を目指す」のに対して、大乗仏教では菩薩やさまざまな仏が人びとを導く「救いの思想」があるという。日本仏教は中国仏教の影響を受けたうえで発展し、漢籍の経典が使用されている。ブッダガヤは、ボードガヤーといった呼び方のほかに仏陀伽耶とも表記される。

人間シッダールタとは

「お釈迦さま」の名で知られるシッダールタは、紀元前6世紀ごろに実在した人物で、カピラヴァストゥの釈迦族の王子として何不自由なく育っていた。こうしたなか、人間が逃れることができない「生老病死」といった運命をいかに克服するか、という悩みの答えを求めて出家を決意した。カピラヴァストゥを出たシッダールタがまず向かったのは、古代インド世界でもっとも大きなマガダ国

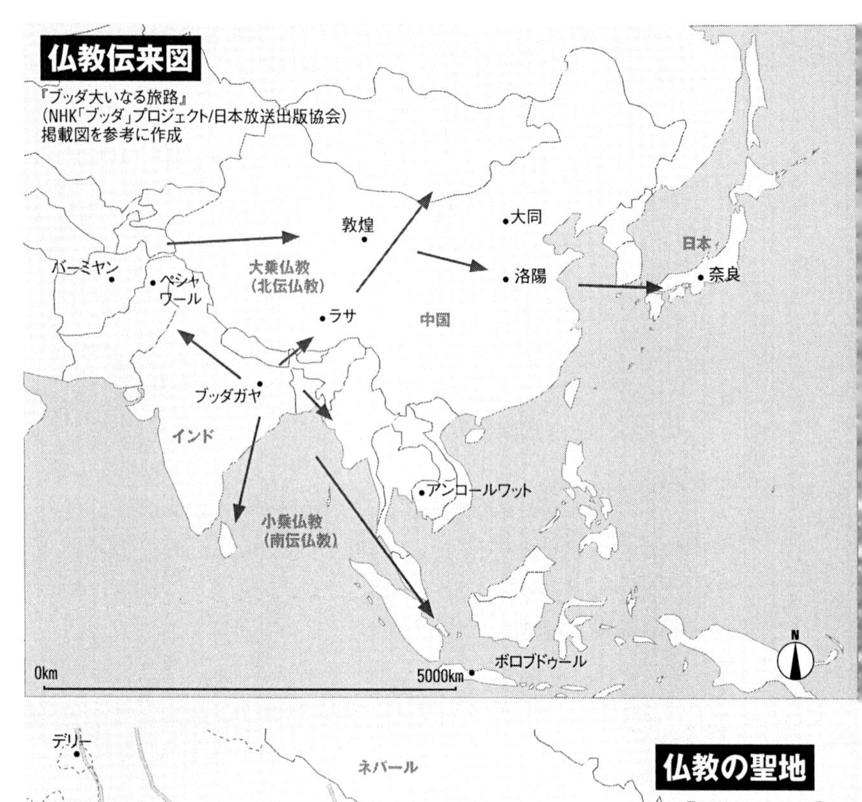

仏教伝来図
『ブッダ大いなる旅路』
(NHK「ブッダ」プロジェクト/日本放送出版協会)
掲載図を参考に作成
敦煌
大同
日本
バーミヤン
ペシャ
ワール
大乗仏教
(北伝仏教)
洛陽
奈良
ラサ
中国
ブッダガヤ
インド
アンコールワット
小乗仏教
(南伝仏教)
ボロブドゥール
0km
5000km
N

仏教の聖地
デリー
ネパール
サンカシャ
ウッタル
プラデシュ州
サヘート
マヘート
「生誕の地」
ルンビニ
カトマンズ
アーグラ
「入滅の地」
クシナガラ
ラクナウ
ガンジス河
ヴァイシャリー
「初転法輪の地」
サールナート
ビハール州
ラージギル
インド
バラナシ
「成道の地」
ブッダガヤ
マディヤ
プラデシュ州
ジャール
カンド州
西ベンガル州
チャッティー
スガル州
コルカタ
オリッサ州
0km
1000km
N

の都ラージギル(王舎城)だった。そこには自由思想家たちが集まっていたが、シッダールタを満足させることなく、ウルヴェーラの森(ブッダガヤ近く)に遷り、断食などの苦行を選ぶことにした。そして6年間の苦行ののちそれをやめ、瞑想して悟りを開いたシッダールタは「ブッダ(目覚めた人)」と呼ばれるようになった。出家する以前、王子(クシャトリヤ)であったブッダには、妻ヤシャダラ、ふたりの子ラーフラがいて、火(アグニ神)や雷(インドラ神)など、実在しない神性を信仰するバラモン教とは明確に異なる教えを説いた。

悟りとは

菩提樹の下でブッダが悟ったのは、あらゆるものには因果関係があるという「縁起の理法」だと言われている。「人は欲による妄執のために執着し、執着心によって苦悩する」、けれども「妄執がなければ、執着がなくなり、欲がなくなり、ありのままの世界と向かいあえる」。ブッダは苦諦、集諦、滅諦、道諦という4つの真理(四諦)を明らかにし、正見、正思惟、正語、正業、正命、正精進、正念、正定という8つの正しい道(八正道)を説いた。ブッダが悟ったとされるこの「縁起の理法」「四諦八正道」は、くわしくは『原始仏教』(中村元/日本放送出版協会)などで説明されている。

仏教教団の誕生

悟りを開いたブッダは、かつてブッダガヤで苦行をともにした5人の出家者がいるバラナシ郊外のサールナート(鹿野園)へ向かった。彼らははじめ、苦行を投げ出したブッダを軽蔑していたが、ブッダの話を聴くと、たちまち仏教に帰依し、ここに教団が誕生した。ブッダのもとには、その教えを敬う人びとが集まり、雨季にはひとつの場所で滞在し(竹林精舎や祇園精舎での雨安居)、そのほかの時期はガンジス河中流域を旅しながら、修行と教化の日々を送った。ブッダがクシナガラの沙羅双樹のしたで涅槃にはいったあと、その教えは弟子たちによって広められ、日本に仏教が伝来したときには仏教誕生から1000年もの月日がたっていた。

仏教四大聖地

ルンビニ(ブッダが生まれた「生誕の地」)
ブッダガヤ(悟りを開いた「成道の地」)
サールナート(はじめてその教えを説いた「初転法輪の地」)
クシナガラ(沙羅双樹のしたで涅槃へいたった「入滅の地」)

平安時代の日本でつくられた仏像（大日如来）

ブッダや仏教は日本美術のテーマとなってきた

SXT
ANNA PURNA

West of Mahabodhi Mahavihara

大塔西部城市案内

**大塔西部はスリランカ寺やチベット寺はじめ
各国仏教寺院のなかでも
古く(20世紀初頭)からある寺院がならぶ**

各国仏教寺院のはじまり

7世紀にブッダガヤを訪れた玄奘三蔵は、マハーボーディ寺院(菩提樹)の北側に、スリランカの僧伽羅国(シンガラ)国の王によるマハーボーディ僧伽藍が立っていることを記している。紀元前3世紀の伝来以来、スリランカ王家は篤く仏教を信仰し、あるとき一族の者が出家してインドに向かい、仏教聖蹟をめぐったが、ヒンドゥー寺院にくらべて粗末なものだった。それを聞いたスリランカ王は、国交のあるインドの王に財宝を送り、インドの王は「お返しに何をのぞむか?」と尋ねた。スリランカ王は「仏教僧がインドに巡礼しても恥をかかないように、仏教僧たちが疲れを癒やす場所をつくれば、互いの国は仲良くなるだろう」と伝えた。そうして国家の財宝を喜捨して、インドに巡礼する仏教徒のための僧院が建てられた。これは、360年ごろのインドのグプタ朝サムドラグプタ王とスリランカのスリメガヴァンナ王のやりとりをもとにした話だと考えられる。紀元前3世紀にはインド全域に広がっていた仏教が、ヒンドゥー教の興隆とともにすたれ、スリランカというインドの周辺国の王によって仏教僧院が建てられる、という状況は19世紀に仏教復興運動を展開したスリランカのダルマパーラへとつながっていく。

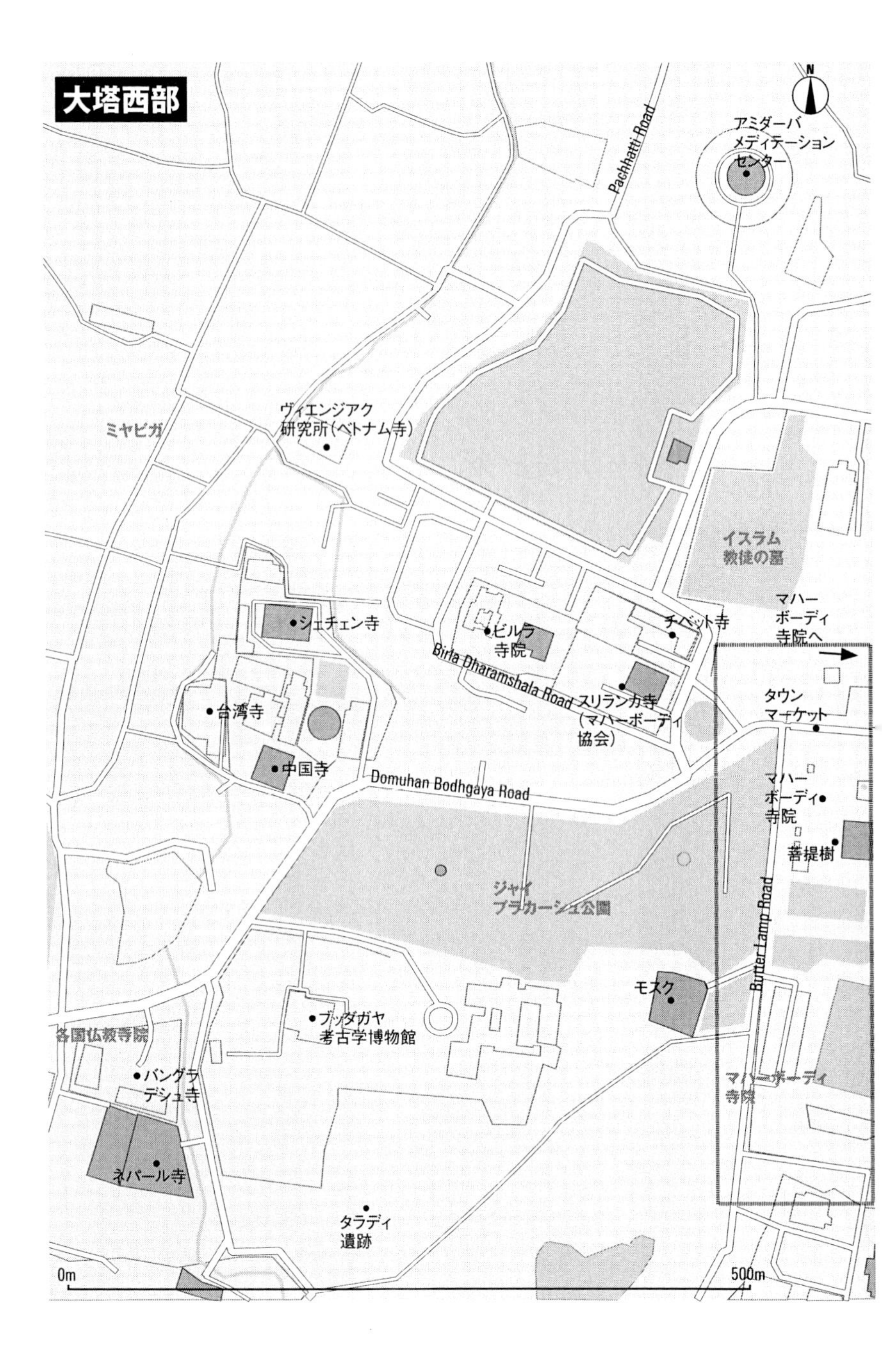
大塔西部
N
Pachhatti Road
アミダーバ
メディテーション
センター
ヴィエンジアク
研究所（ベトナム寺）
ミヤビガ
イスラム
教徒の墓
マハー
ボーディ
寺院へ
シェチェン寺
ビルラ
寺院
チベット寺
Birla Dharamshala Road
スリランカ寺
（マハーボーディ
協会）
タウン
マーケット
台湾寺
中国寺
Domuhan Bodhgaya Road
マハー
ボーディ
寺院
菩提樹
ジャイ
プラカーシュ公園
Butter Lamp Road
モスク
ブッダガヤ
考古学博物館
各国仏教寺院
バングラ
デシュ寺
マハーボーディ
寺院
ネパール寺
タラディ
遺跡
0m
500m

スリランカ寺（マハーボーディ協会）★☆☆

Sri Lanka Monastery（Maha Bodhi Society of India）

ⓗ महाबोधि सभा／ⓤ مہابودھی سبھا

19世紀以降、ブッダガヤで仏教復興運動を展開したマハーボーディ協会が入るスリランカ寺。スリランカは、紀元前3世紀にアショカ王の子マヒンダが伝えて以来の仏教の伝統があり、その時代にブッダガヤ菩提樹の株分けを受けた縁をもつ。東南アジア各地に広まっている上座部仏教（南伝仏教）はスリランカのアヌラーダプラのマハーヴィハーラを中心に発展した大寺派の伝統を受け継いでいて、スリランカは上座部仏教（南伝仏教）の大元となる仏教大国だと言える（国王の篤い庇護下によって仏教は栄えた）。スリランカの仏教では、出家者と在家者に厳格な区別があり、出家者はサンガで黄衣をまとい、戒律を守って生活する。荒廃し、ブッダガヤがヒンドゥー教徒のマハントの手にあったなか、スリランカのダルマパーラ（1864〜1933年）

★★★

マハーボーディ寺院 *Mahabodhi Mahavihara*
菩提樹 *The Sacred Bodhi Tree*

★★☆

タウン・マーケット（バザール） *Town Market*
各国仏教寺院 *Buddhist Temples*

★☆☆

スリランカ寺（マハーボーディ協会） *Sri Lanka Monastery(Maha Bodhi Society of India)*
チベット寺（ゲルク派チベット寺） *Tibetan Monastery*
ミヤビガ（シッダールタナガル） *Miya Bigha*
ジャイ・プラカーシュ公園 *Jayprakash Park*
ビルラ寺院 *Shree Birla Dharamshala*
中国寺（中華大覚寺） *Chinese Temple*
台湾寺 *Taiwan Temple*
シェチェン寺（チベット寺） *Shechen Tennyi Dargyeling*
ヴィエン・ジアク研究所（ベトナム寺） *Vien Giac Instituteiac*
ブッダガヤ考古学博物館 *Archaeological Museum Buddhagaya*
バングラデシュ寺 *Bangladesh Buddhist Monastery*
ネパール寺（タマン仏教僧院） *Tamang Buddhist Monastery*
タラディ遺跡 *Taradih*
モスク *Masjid*
イスラム教徒の墓 *Kabristan*
アミダーバ・メディテーション・センター *Amitabha Meditation Center*

は1891年、マハーボーディ協会(大菩提協会)を設立した。当初、協会はコルカタにあったが、1901年にブッダガヤで土地を取得し、1903年にこの建物(スリランカ寺)が完成した。現在はスリランカからの巡礼者が宿泊する僧坊と、スリランカ寺、マハーボーディ協会の本部機能を兼ねそなえている。

ダルマパーラの戦い

イスラム勢力の侵入を受けたことで、13世紀、インド仏教はついえ、仏教徒はおもにヒンドゥー教ヴィシュヌ派に吸収されていた。ブッダガヤとマハーボーディ寺院は16世紀以降、ヒンドゥー教シヴァ派の領主マハントのものとなり、マハーボーディ寺院が仏教寺院であることや、ブッダが実在の人物であることも忘れられていた。ブッダガヤでは、地主で、この地方の王であるかのような絶大な力をもつマハント影響のもと、ヒンドゥー社会が築かれていた。イギリス植民地下の19世紀に入って、仏教遺構がイギリス人たちの手で発掘、「発見」されていく過程で、スリランカの仏教僧ダルマパーラ(1864〜1933年)はインドを訪れ、仏教聖地が荒廃していることを嘆き、1891年にマハーボーディ協会(大菩提協会)を設立した。ダルマパーラは私財を投じて土地を買いとり、仏教聖地、とくにマハーボーディ寺院を修復するといった仏教復興運動を展開した。一方で、ヒンドゥー教徒のマハントは、自らの私有地であり、ヒンドゥー教の聖地となっていたブッダガヤの土地の買いとりや、マハーボーディ寺院への仏像安置に反対し、ダルマパーラの活動を妨害した(たとえば1895年、日本から寄進された仏像を大塔内へ安置しようとするダルマパーラを、マハントは4、50人の手勢を使って妨害した)。こうした両者の戦いは、イギリスのカーゾン総督の統治する英領インド政府でもとりあげられたが、イギリスは地元社会に根づいた領主

チベット仏教の楽器ラグドゥン（チベット・ホルン）

こちらはチベット仏教で使う打楽器

ブッダガヤには各国、各宗派の仏教寺院がならぶ

黄色の袈裟はスリランカ経由で伝来した上座部仏教のもの

マハント側の立場に立つこともあった。一方で、ダルマパーラはエルサレムなどを例に出し、国際世論に訴えるなどして、仏教復興運動を続けた。やがて1947年のインド独立後、マハーボーディ寺院の管理は、マハントをふくむインド人によるブッダガヤ寺院管理委員会によって行なわれることになった。

チベット寺（ゲルク派チベット寺） ★☆☆

Tibetan Monastery ㋪ तिब्बती मठ ㋒ تبتی مٹھ

13世紀にインドで仏教の伝統がついえたのち、インド仏教の伝統をもっとも忠実に受け継いだチベット仏教のチベット寺。チベットには7世紀前半には、インドの後期大乗仏教が伝えられ、779年、ナーランダ僧院の長老シャーンタラクシタによって6人のチベット人に具足戒が授けられ、僧団（サンガ）が発足した。そして、利他行をすすめる中観の教えが普及し、1409年にチベット仏教の正統派であるゲルク派もはじまった。チベット仏教指導者のダライ・ラマはこのゲルク派（黄帽派）の高僧であり、このチベット寺（ゲルク派チベット寺）はブッダガヤにいくつもあるチベット寺院の総本山的性格をもつ。チベット仏教寺院、僧院、宿泊施設をかねたチベット寺として1934年に創建され、スリランカ寺（大菩提協会）に隣接している。1956年に開催された2500回目のブッダ生誕祭にあたって、ダライ・ラマ14世がブッダガヤのこの地を訪れ、その後、1959年にダライ・ラマはインド（ラダック）に亡命した。現在もブッダガヤに巡礼するチベット仏教徒が宿泊し、立ち寄る場所となっている。

ミヤビガ（シッダールタナガル） ★☆☆

Miya Bigha ㋪ मिया बीघा ㋒ میا بیگھا

マハーボーディ寺院から1kmほど北西に離れたブッダガヤの集落ミヤビガ。かつてのミヤビガは比較的低カーストのヒンドゥー教徒が暮らし、マハーボーディ寺院近くの井戸が使用できないこともあった。そうしたなかスリランカ僧院(マハーボーディ協会)に相談し、犠牲や祭りをやめ、ミヤビガに暮らす5人が最初に仏教徒に改宗し、その後、1970年ごろに集落全体が仏教徒へ改宗した(ヒンドゥー寺院を壊し、代わりに仏教寺院を建立した。マハントの管轄する集落マスティプルよりも比較的スムーズに進んだという)。そうしたことから、この集落はシッダールタナガルと呼ばれている。

ジャイ・プラカーシュ公園 ★☆☆

Jayprakash Park　Ⓗजय प्रकाश उद्यान／Ⓤجے پرکاش گارڈن

マハーボーディ寺院の西側に広がる緑地のジャイ・プラカーシュ公園。20世紀末以降のブッダガヤの整備にあわせてつくられ、ビハール州出身の政治家の名前がつけられている(この公園の整備にあわせて、すぐ南のモスクへの巡礼路をどうするかなどの問題がいくつか起こった)。

ビルラ寺院 ★☆☆

Shree Birla Dharamshala／Ⓗश्री बिड़ला धर्मशाला／Ⓤبرلا دھرم شالا

マハーボーディ協会の奥に立つ、インドを代表するビルラ財閥によるビルラ寺院(ビルラ・マンディル)。ビルラ財閥はインド各地にヒンドゥー寺院を建てたが、ブッダガヤのものはヒンドゥー教徒の巡礼者のための宿泊所として使われている。マハーボーディ寺院には、ヒンドゥー教シヴァ派の聖地というもうひとつの性格があり、ヒンドゥー教徒の巡礼者の姿がある。

中国寺(中華大覚寺) ★☆☆

Chinese Temple　Ⓗचाइनीस मंदिर　Ⓤچینی مندر

ビルラ家から寄贈された土地に立つ中国寺の中華大覚寺。1世紀ごろ、シルクロードを通じて中国に仏教が伝来し、迫害を受けながらも中国仏教(大乗仏教)は2000年のあ

チベット仏教ニンマ派の仏教僧院シェチェン寺

車が通れば土煙の立つ路上を歩く子どもたち

いだ大きな流れをつくった（中国の仏教僧が経典を求めてブッダガヤを旅し、その漢訳仏典が日本に伝わった）。1893年、シカゴで開催された万国宗教者会議を通じて、中国仏教界が中国仏教を発揚させる意思をもち、20世紀初頭にインド華僑が資金を出しあって、この中国寺は建立された。当時は中華民国時代であり、中国寺の建立は国父孫文の慰霊に捧げられた。ラビンドラナート・タゴールの友人であり、中印文化協会の譚雲山（1898～1983年）が寺院創建に関わり、2層からなる大殿と僧坊、黄色の外壁、緑の屋根瓦、そのうえに載る法輪の姿の寺が完成した。大殿にはブッダ像を安置する。

台湾寺 ★☆☆

Taiwan Temple／㊍तैवान मंदिर　㋒تیوان مندر

　中国寺院に隣接し、台湾の仏教徒が訪れる台湾寺。台湾仏教の伝統は、福建省からの移住が進んだ17世紀ごろから確認できる。そのため、福建省の仏教の影響が強く、その後、20世紀の国共内戦では多くの仏教徒が台湾に逃れた。台湾寺は、台湾の仏教教団によって建てられ、修道院と宿泊所を併設する。

シェチェン寺（チベット寺） ★☆☆

Shechen Tennyi Dargyeling　㊍शेचें तेंन्यी दुर्ग्येलिंग
㋒شیچین تینیی دارجیالنگ

　シェチェン寺（チベット寺）は、チベット仏教ニンマ派の仏教僧院で、ゲルク派チベット寺の奥に立つ。ニンマ派はインドの密教行者パドマサンバヴァによって775年にはじまった宗派で、チベット仏教でもっとも古い伝統をもつ（タントラ仏教の宗派で、その後、中国の禅宗や民間信仰も入った）。このシェチェン寺は、ディルゴ・キェンツェ・リンポチェによって1996年に建てられ、寺院外壁は赤、柱梁は極彩色、天井は黄金に彩られている。居住区を併設するほか、ブッダの生涯を描いたフレスコ画も見られる。

ヴィエン・ジアク研究所（ベトナム寺） ★☆☆

Vien Giac Instituteiac　ⓗवीएन गिअक　ⓤویئن جیاک انسٹی ٹیوٹ

東南アジアの仏教国ベトナムによるヴィエン・ジアク研究所（ベトナム寺）。ベトナムには、3世紀なかばにインドから海路で仏教が伝わったが、その後、隋に征服されてからは中国仏教の影響のもとベトナム仏教は発展した。中国の影響が強い漢字文化圏であったため、南伝ではなく北伝で、他の東南アジアと違って大乗仏教であることを特徴とする。このヴィエン・ジアクは2002年に建てられ、浄土仏教の研究、実践を行なっている。赤紫の屋根瓦をもち、「圓覚修學中心」の文言が目に入る。

ブッダガヤ考古学博物館 ★☆☆

Archaeological Museum Buddhagaya／ⓗपुरातत्व संग्रहालय बोधगया／ⓤآثار قدیمہ میوزیم بودھ گیا

ブッダガヤから発掘された出土品を展示するブッダガヤ考古学博物館。仏像、テラコッタ像はじめ、金銀、青銅製のヒンドゥー教の神像などを収蔵する。古くは1世紀にさかのぼるものもあり、ヒンドゥー文化黄金期のグプタ朝時代や、ムガル帝国時代のものまで多岐にわたる。ヴィシュヌ神の「化身（ブッダは第9の化身）」にまつわる展示、第3の化身ヴァラーハ像も見られる。1956年に設立された。

バングラデシュ寺 ★☆☆

Bangladesh Buddhist Monastery／ⓗबांग्लादेश बौद्ध मठ／ⓤبنگلہ دیش بدھ خانقاہ

バングラデシュの仏教徒が訪れるバングラデシュ寺。トーラナ（塔門）をもした門をもち、3本の梁には仏像がびっしり彫刻され、上部に法輪が載る。パハルプールに代表される仏教遺跡が物語るように、かつて東ベンガル（バングラデシュ）でも仏教が栄えたが、イスラム勢力の侵入でついえ、現在、バングラデシュはイスラム教国となっている。一方、イスラムの侵入を受けて、インドの仏教徒が逃れたのがバングラデシュでもあり、ミャンマーとの国境沿いのチッタゴン丘陵には、チャクマ族（少数民族）などの仏教徒が暮らしている。バングラデシュ仏教は、初期仏教に近い上座部仏教で、仏教僧は厳しい戒律のもと生活している。

ネパール寺（タマン仏教僧院）★☆☆

Tamang Buddhist Monastery　ⓗनेपाल मठ／ⓤنیپالی خانقاہ

　バングラデシュ寺に隣接して立つネパール寺（タマン仏教僧院）。ブッダ生誕の地ルンビニを抱えるネパールには、古くから仏教が伝わっていたが、現在はヒンドゥー教と混交し、人口の大多数がヒンドゥー教徒となっている（ネパールの仏教徒はカースト化した）。中世、イスラム勢力のインド侵入を受けて多くの仏教徒がカトマンズ盆地に避難し、カトマンズからチベットへインド仏教は伝わった。カトマンズのネワール仏教は、サンスクリット語をもちいる大乗仏教であり、サンスクリット語の仏典を保存したことで功績がある。またネパール山間部の広範囲に分布するタマン族がチベット仏教を信仰していて、このネパール寺は、タマン仏教僧院とも呼ぶ。タマン族は、細長の目、扁平な顔といったモンゴロイドの特徴を残している。

タラディ遺跡 ★☆☆

Taradih／ⓗताराडीह／ⓤتراڈیہ

　新石器時代からパーラ朝（8～12世紀）にかけての、連続した人類の営みが見られるタラディ遺跡。タラディ遺跡は、マハーボーディ寺院の南西に広がる東西600m、南北500mの規模で、ヒンドゥー教の女神ターラーをもとにつけられた旧タラディ村に由来する（旧タラディ村は聖地整備にあわせて北西に遷った)。古くから狩猟、農業、漁業が行なわれ、石器や土器、鉄器、ビーズなどが出土し、またテラコッタや仏像も確認された。出土品の年代が長期であることを特徴とする。

マハーボーディ寺院西側の街角の様子

バザールでは軽食を出す屋台や露店も見られる

仏教僧の姿がいたるところで見られる

世界中の仏教国がこの街に寺院や僧院を建てた

Mastipur

各国寺院城市案内

ブッダ生誕2500年祭が行なわれた1956年
ネルーは国際仏教社会の建設を呼びかけた
それに呼応して世界中の仏教国が寺院を建てていった

マスティプル ★☆☆

Mastipur／Ⓗमस्तीपुर／Ⓤمستی پور

ブッダガヤの各国仏教寺院が立ちならぶ、マハーボーディ寺院南西の集落マスティプル。ここは仏教復興運動がはじまる19世紀以前から、ブッダガヤに点在していたいくつかの集落のひとつ(マスティプル)があったところで、ヒンドゥー教徒の低カースト者が暮らしていた。20世紀以前、長らくマスティプルはブッダガヤの領主マハントの管轄下にあったが、低カースト者は大塔付近の井戸の使用もできないほどだった。1956年、インド首相ネルーの呼びかけで、世界各地の仏教国がブッダガヤに寺院を建設していくなか、ミヤビガとともにマスティプルの住人も仏教徒へ改宗した(20世紀後半)。そして、マスティプルの住民は、仏教寺院や土産物店で働くなど、新たな職業へつくようになった。ミヤビガと違って、ここマスティプルはマハントの所有した集落で、職業もマハントからあたえられていたため、仏教への改宗は容易ではなかったという。

タイ寺(ロイヤル・ワット・タイ) ★★☆

Wat Thai Buddhagaya　Ⓗवॉट थाई बोधगया　Ⓤواٹ تھائی

ブッダガヤにある各国仏教寺院の代表格とも言える

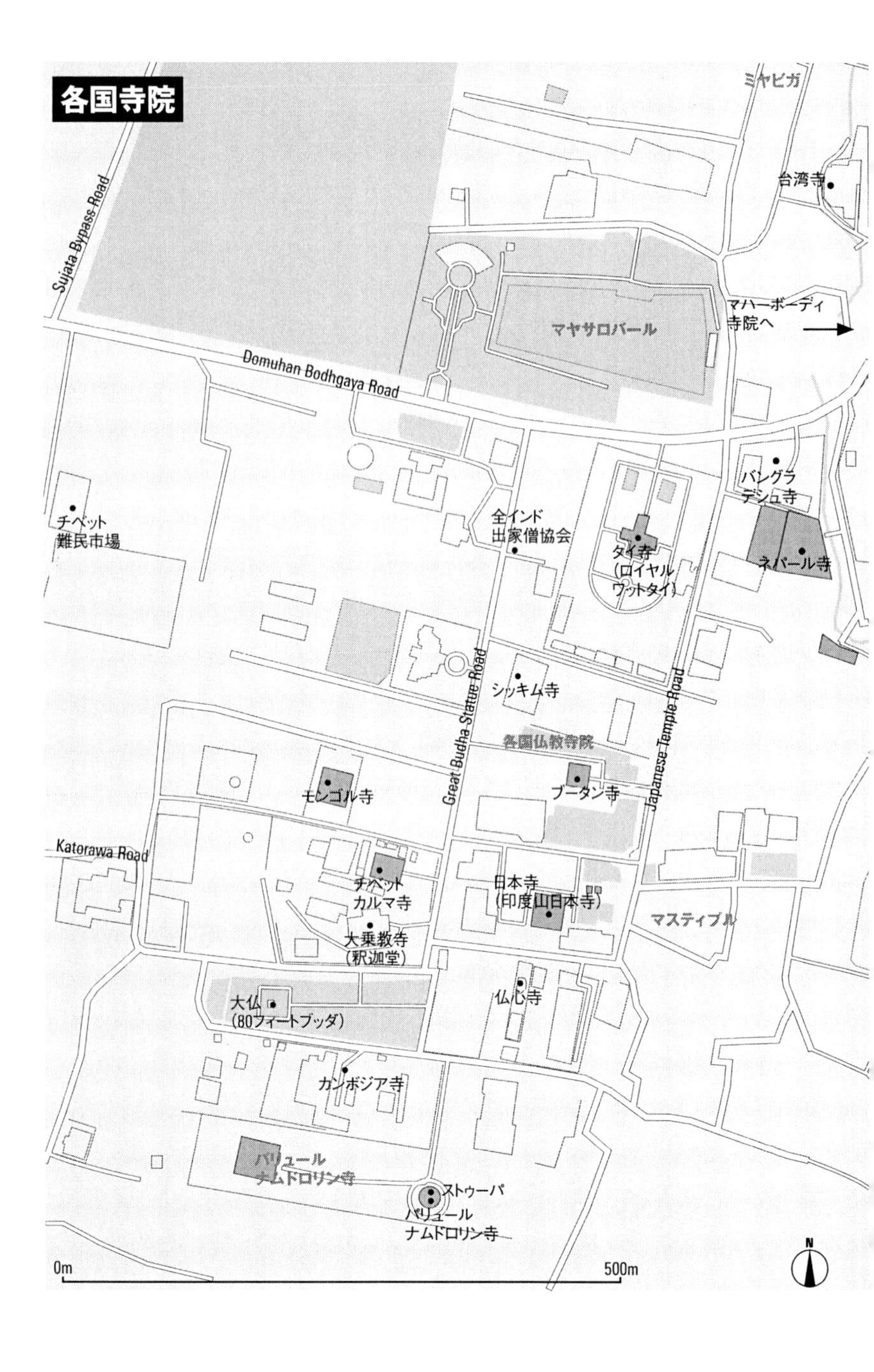

各国寺院
ミヤビガ
台湾寺
Sujata Bypass Road
マハーボーディ寺院へ
マヤサロバール
Domuhan Bodhgaya Road
バングラデシュ寺
チベット難民市場
全インド出家僧協会
タイ寺（ロイヤルワットタイ）
ネパール寺
シッキム寺
Great Budha Statue Road
Japanese Temple Road
各国仏教寺院
モンゴル寺
ブータン寺
Katorawa Road
チベットカルマ寺
日本寺（印度山日本寺）
マスティプル
大乗教寺（釈迦堂）
大仏（80フィートブッダ）
仏心寺
カンボジア寺
パリュールナムドロリン寺
ストゥーパ
パリュールナムドロリン寺
0m
500m
N

タイによるタイ寺院。ロイヤル・ワット・タイと呼ぶように、寺院名にはタイ王室の名前が使われている。タイには、13世紀の国家建設以前の仏教遺跡が残り、7世紀ごろには上座部仏教がこの地で信仰されていた。1238年に成立したスコタイ朝、続くアユタヤ朝と、仏教は王権と結びつき、スリランカ上座部仏教の正統派であるマハーヴィハーラ派の上座部仏教が大いに栄えた(16世紀初頭以降、仏教が衰退したスリランカから、タイの仏教サンガを派遣してほしいという要請すらあった)。仏教が社会に深く浸透した仏教国のタイでは、ブッダ2500回の生誕祭を前にして、1955年、インド側に「ブッダガヤで仏教寺院を建立したい」という旨を伝えた。ときのインド首相ネルー(1889〜1964年)はその提案を受け入れ、ブッダ2500年の生誕祭の1956年に「ブッダガヤに国際仏教社会をつくろう」と呼びかけた。タイは一番にその呼びかけに応じ、インド側はマハーボーディ寺院に近い広大な土地を用意し、タイ寺(ロイヤル・ワット・タイ)が建設されることになった。この寺院はバンコクのワット・

★★★

大仏(80フィート・ブッダ) *80 Feet Buddha Statue(The Great Buddha Statue)*

★★☆

各国仏教寺院 *Buddhist Temples*
タイ寺(ロイヤル・ワット・タイ) *Wat Thai Buddhagaya*
ブータン寺 *Royal Bhutan Monastery*
日本寺(印度山日本寺) *Japanese Temple*
チベット・カルマ寺 *Karma Temple*

★☆☆

マスティプル *Mastipur*
全インド出家僧協会 *All India Bhikkhu Sangha*
大乗教寺(釈迦堂) *Daijokyo Buddist Temple*
仏心寺 *Busshinji Temple*
モンゴル寺 *Mongolian Temple*
シッキム寺 *Sikkim Temple*
カンボジア寺 *Cambodian Monastery*
パリュール・ナムドロリン寺 *Palyul Namdroling Temple*
チベット難民市場 *Tibetan Refugee Market*
バングラデシュ寺 *Bangladesh Buddhist Monastery*
ネパール寺(タマン仏教僧院) *Tamang Buddhist Monastery*
台湾寺 *Taiwan Temple*
ミヤビガ(シッダールタナガル) *Miya Bigha*

ベンチャマボピット(大理石寺院)をもとに建てられていて、傾斜した湾曲切妻屋根、金色のタイルで彩られた外観をもつ。1967年に黄金の仏像が本殿におかれ、ブッダの人生を描いた壁画も見える。ブッダガヤ再整備のきっかけになったブッダ2500年の生誕祭(1956年という年)は、南伝の上座部仏教に伝わる経典の説をもとにしている。

全インド出家僧協会 ★☆☆

All India Bhikkhu Sangha ㋪ऑल इंडिया भिक्खु संघा
㋒آل انڈیا بھکشو سنگھا

　ブッダガヤの各国仏教寺院がならぶ一角に立つインド仏教の全インド出家僧協会。インド全土の仏教僧がブッダの教えを守って生活し、仏教を広めるための拠点となっている。13世紀初頭、イスラム勢力によってベンガルの仏教寺院が破壊されて、インド仏教はついえたが、カシミール、ネパール、チベット、東ベンガルなどではその伝統は続いていた。近代、スリランカからの仏教逆輸入(マハーボーディ協会による仏教復興運動)もあって、再び、インドで仏教が注目され、不可触民やカーストの低い者たちを中心に仏教への改宗が見られた。この全インド出家僧協会は、ジャグディシュ・カシャップ(1908～1976年)によって設立され、1970年代から活動をしている。訪問する僧侶や巡礼者のための休憩室、仏教の経典や書籍などを収蔵し、右手を胸の位置にあげるブッダ像が立つ。

ブータン寺 ★★☆

Royal Bhutan Monastery ㋪रॉयल भूटान मठ ㋒بھوٹان خانقاہ

　各国仏教寺院がならぶマスティプルの一角、日本寺の北側に立つブータン寺。ブータン王室による仏教寺院であることから、ブータン王室僧院(ロイヤル・ブータン・モナストリー)と呼ぶ。ブータンは、1616年にチベット仏教ドゥック派の僧侶ンガワン・ナムゲルによって統一された国

極彩色で彩られたブータン寺

ジャイアント・ブッダの名前で知られる大仏（80フィート・ブッダ）

印度山日本寺、大乗教寺、仏心寺、日本の存在感は高い

まるで大使館街のように各国仏教寺院がならび立つ

で、国の歴史そのものがチベット仏教と深い関係にある。ドゥックとは「雷龍」の意味で、チベット仏教の4つの宗派のうち、カギュ派を受け継ぐ宗派をさす（一方、ブータンとはインドからチベットを呼んだ名前）。ブータン寺はチベット仏教を奉じるブータン建築様式で、方形のりりしいたたずまいの寺院内には、高さ2mほどのブッダ像が安置されている。

大仏（80フィート・ブッダ）★★★

80 Feet Buddha Statue（The Great Buddha Statue）

Ⓗ महान बुद्ध प्रतिमा　Ⓤ عظیم بدھ مجسمہ

　仏教聖地ブッダガヤのランドマークのひとつとなっている高さ25m、幅18mの大仏（80フィート・ブッダ）。「仏光を世界に広めよう」という意図で、日本の宗教法人大乗教によって1989年に建てられ、ダライ・ラマ14世やマハーボーディ協会の立ち会いのもと除幕された。大仏は蓮の花のうえで足を交差させて坐り、目を半分閉じて瞑想するディヤーナ・ムドラのポーズをとる。この大仏は、インド人彫刻家によって5年の月日をかけて設計され、総勢12万人の石工が7年の歳月を費やして造営された。ピンク色に輝く大仏の石材はアショカ王の碑文にも使われた、バラナシ近郊のチュナール砂岩が使われている。朝日がのぼると大仏の眉間あたりが黄金に輝き、反射して東方の八万八千世界を照らすという。そして大仏内部には1階から胸部まで伸びるらせん階段があり、内部の壁面には小さな青銅製の仏像1万6300体が安置されている。またこの大仏へ続く道の両脇には、十大弟子の仏像が大仏にしたがうようにおかれていて、ブッダが霊鷲山で『法華経』を説いた場面が象徴的に示されている（寺院を建立した大乗教は『法華経』を重んじる法華系の教団で、これらは1993〜96年に建てられた）。大仏の高さ25mは80フィート（幅は60フィート）であることから80フィート・ブッダの愛称で親しまれている。

大乗教寺(釈迦堂) ★☆☆

Daijokyo Buddist Temple／Ⓗदैजोक्यो बुद्दिस्त मंदिर／Ⓤڈائجوکیو بدھ مندر

日本の仏教法人である大乗教による大乗教寺院(釈迦堂)。大乗教は大正時代の1914年に杉山辰子によって設立された仏教感化救済会を前身とし、戦後の1948年に設立された。『法華経』をよりどころとし、ブッダの教えを実践することを柱に活動している。大乗教インド釈迦堂(本堂)を中心に、大乗教寺院内には、1988年に建てられた3階建ての宿泊施設、創立者の像も立つ。

日本寺(印度山日本寺) ★★☆

Japanese Temple／Ⓗजैपनीज़ मंदिर बोधगया／Ⓤجاپانی مندر

数多くある日本の仏教宗派を超えて創建されたブッダガヤの日本寺こと印度山日本寺。日本への仏教伝来は、まもなく飛鳥時代を迎える538年に百済聖明王の使者を通して行なわれ、以来1500年のあいだ、仏教は日本語や日本文化、日本社会の形成に強い影響をあたえてきた。1949年にインドから送られた象インディラ・ガンジー、1956年のインド首相ネルーによる国際仏教社会への参画と呼びかけなどが機運となり、1968年、日本仏教は宗派の違いを乗り越えて財団(国際仏教興隆協会)を設立した。こうしてタイ寺に続いて、1973年、インド政府から租借したこの地に印度山日本寺が建立された。京都の寺を思わせるような十間四方の純日本建築で、大梵鐘をあわせもっている。ブッダガヤの子供たちのための無料の幼児保育施設「菩提樹学園」、治療費が無料の「光明施療院」、日本の仏典などを収蔵する「図書館」を併設する。

仏心寺 ★☆☆

Busshinji Temple　Ⓗबुस्सिंजी मंदिर／Ⓤبوسنجی مندر

印度山日本寺の南側に位置するもうひとつの日本寺の仏心寺。日本寺、大乗教寺にくらべて新しく、2001年に設

1956年にいち早く建てられたタイ寺(ロイヤル・ワット・タイ)

立された。本尊の釈迦牟尼仏を中心に、その両脇に文殊菩薩と普賢菩薩をまつる。仏教を通した慈善活動を目的とし、子どもたちへの教育、医療支援のほか、巡礼者のための宿坊をそなえる。

チベット・カルマ寺 ★★☆

Karma Temple　Ⓗकरमा मंदिर　Ⓤکرما مندر

チベット仏教カギュ派(カルマ・カギュ派)のチベット・カルマ寺。カギュとは「教えの伝統」を意味し、とくに悟りを開いた高僧はあえて解脱せず、何度も生まれ変わってこの世に現れるという活仏の理論を展開した。このカギュ派からわかれたのがカルマ派で、カルマ・ドゥースム・キェンパ(1110〜93年)を開祖とし、14世紀には転生活仏による相続制度を採用して活仏教団となり、ゲルク派と対立した。チベット仏教の諸派のなかでも、カルマ・カギュ派は密教色がもっとも強く、チベット・カルマ寺はブッダガヤのもうひとつのチベット寺として親しまれてきた。カギュ派の最高位をカルマパといい、カルマパがブッダガヤで暮らす場所でもある(2000年、ヒマラヤ山脈を越えてカルマパ17世がインドに亡命した)。

モンゴル寺 ★☆☆

Mongolian Temple／Ⓗमोंगोलियन मंदिर　Ⓤمنگولستان مندر

チベット仏教と関わりの深いモンゴル仏教のモンゴル寺。元代の1239年、モンゴル軍によるチベット占領を受けて、モンゴルにも仏教が伝わった(元朝にタントラ仏教が広がり、宮廷は乱れ、王朝を短期にした要因だともいう)。チベット仏教は、シャーマニズムや共通する民族性などでモンゴルとの愛称がよく、1578年、モンゴルのアルタン・ハンは青海でチベット高僧に「ダライ・ラマ」の称号を贈った。「ダライ」とはモンゴル語で「海」のことで、ダライ・ラマとは「大海のように徳をもつ高僧」を意味する。モンゴル寺は中央に黄

金色の仏像、各宗派で仏像のたたずまいが異なる

子どもからお年寄りまで幅広い層が仏法を学んでいる

奥に大乗教寺が見える

色の屋根、その四方にそれより小ぶりの屋根を載せる、モンゴル建築となっている。

シッキム寺 ★☆☆

Sikkim Temple／㋪सिक्किम मंदिर　㋒سکم مندر

　インドの北東部、ネパール、チベット(中国)、ブータンに囲まれたヒマラヤ南麓シッキムのシッキム寺。8世紀にチベットへ仏教を伝えたインド人僧侶パドマサンバヴァが、その途中にシッキムで仏教経典を隠していたという伝説が残る。シッキムではシャーマニズム(自然崇拝)が盛んだったが、中国人に追われてチベット仏教僧がこの地に亡命し、1642年にシッキム王国を築き、チベット仏教を国教とした。以来、シッキムのチベット系住民を中心にチベット仏教が受容され、1890年にイギリス領インドとなり、1950年に保護国、1975年にインドの州となった。シッキム寺は、こぢんまりとしている。

カンボジア寺 ★☆☆

Cambodian Monastery／㋪कम्बोडियन मठ／㋒کمبوڈیا خانقاہ

　上座部仏教を信仰する東南アジアのカンボジア寺。カンボジアにはヒンドゥー教などとともに紀元前309年には仏教が伝わっていたといい、また中国の影響から大乗仏教も信仰されていた。9〜12世紀にヒンドゥー教、仏教などの宗教が混交した大伽藍アンコール遺跡群がつくられ、アンコール・ワットはヒンドゥー建築だが、アンコール・トムのバイヨンは仏教寺院の要素をもつ。その後、隣国の仏教国タイから伝わった上座部仏教が浸透し、国民の大多数が信仰している。

パリュール・ナムドロリン寺 ★☆☆

Palyul Namdroling Temple／㋪ पल्युल नाम्ड्रोलिंग मंदिर

㋒ پلیئول نمڑولنگ مندر

東チベットのパリュール地方に源流をもつチベット仏教ニンマ派のパリュール・ナムドロリン寺。黄金色で彩られた高い中央のストゥーパを中心に、それよりこぶりな4本のストゥーパを周囲に配する。1959年以降にチベットからインドに亡命してきたチベット人たちの手で建てられ、各国仏教寺院の南側に位置する。

South of Mahabodhi Mahavihara

大塔南部城市案内

ブッダ時代のウルヴェーラの地名を残す集落
郊外へ遷ったかつてのタラディ村のあった地は
再開発が進んで現在の姿になった

モスク ★☆☆

Masjid／Ⓗमस्जिद　Ⓤمسجد

マハーボーディ寺院の南西側に隣接して立つイスラム教の礼拝堂モスク。イギリス統治時代の19世紀、大塔修復にあたったイスラム教徒の建築職人が礼拝のためにつくったモスクをはじまりとする。モスク建設をになった職人たちは現在の新タイ寺院あたりの旧タラディ村に暮らし、そのまま定住した（建築職人にはイスラム教徒が多かった）。当時は民家の一角をモスクとして使っていたが、1967年に隣接して新たなモスクが建てられ、1992年に2階建てに増築するなど、拡大していった。2002年のブッダガヤの世界遺産登録にあわせてあたりは整備され、旧タラディ村も郊外に遷ったが、このモスクだけは残された（ニュー・タラディ村はブッダガヤ郊外のバガルプルにあり、1997年にそこにもモスクが建てられた。地方領主マハントの絶対的な力がさがったこともあって、ブッダガヤ各地にモスクが建てられていった）。イスラム教徒が礼拝に訪れるこのモスクは、パトナやガヤにつぐ規模だと言われ、ミナレットがそびえる。ビハールのイスラム化は、イスラム軍のバフティヤール・ハルジーの侵攻を受けて、13世紀には仏教寺院が破壊されたことで進み、ビハール州はイスラム教徒の使うウルドゥー語を準公用語とする。

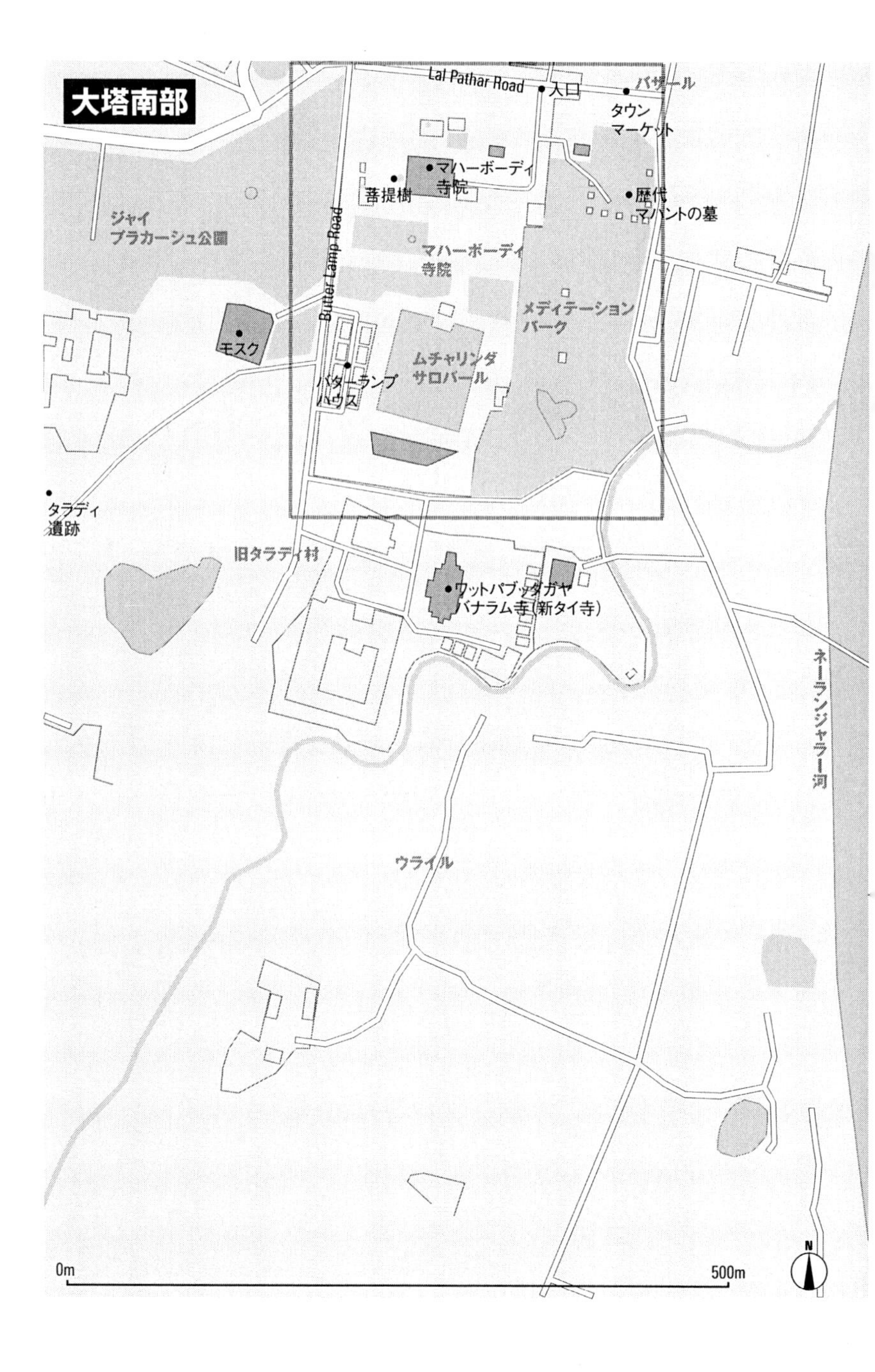

大塔南部
Lal Pathar Road
入口
バザール
タウン
マーケット
マハーボーディ
寺院
菩提樹
歴代
マハントの墓
ジャイ
プラカーシュ公園
Butter Lamp Road
マハーボーディ
寺院
メディテーション
パーク
モスク
ムチャリンダ
サロバール
バターランプ
ハウス
タラディ
遺跡
旧タラディ村
ワットパブッダガヤ
バナラム寺(新タイ寺)
ネーランジャラー河
ウライル
0m
500m
N

ワット・パ・ブッダガヤ・バナラム寺院（新タイ寺院）★☆☆

Wat Pa Buddhagaya Vanaram Temple／
Ⓗ वाट पा बोधगया वनाराम मंदिर　Ⓤ واٹ پا بودھگیا واناارام مندر

　マハーボーディ寺院の南側、かつてタラディ村のあった地に立つ新タイ寺のワット・パ・ブッダガヤ・バナラム寺。ブッディスト・タイ・バーラト・ソサエティ（タイ仏教徒在インド協会）による仏教寺院で、2018年に完成した。落成式には亡命中のダライ・ラマ14世が臨席し、「タイ仏教は原始仏教（パーリ語経典）の伝統をよく伝える南伝仏教である」といった言葉を残している。黄金で彩られた切妻屋根をもつタイ式建築で、本殿に安置された黄金のブッダ像は、隣接するマハーボーディ寺院のブッダ像と同じくブミスパルサ・ムドラのポーズをとる（蓮座に坐り、右手を下にたらして大地を指し、左手は交差した足の上におく）。以前この地にあった旧タラディ村（ブッダガヤのバザールもあった）は、郊外のニュー・タラディ村に遷った。

ウライル ★☆☆

Urel　Ⓗ उरेल／Ⓤ یوریل

　ブッダが修行し、覚りを開いた紀元前6世紀ごろのウルヴェーラの地名を今に伝える集落ウライル。ウルは「砂」、

★★★
マハーボーディ寺院 *Mahabodhi Mahavihara*
菩提樹 *The Sacred Bodhi Tree*

★★☆
タウン・マーケット（バザール） *Town Market*

★☆☆
モスク *Masjid*
ワット・パ・ブッダガヤ・バナラム寺（新タイ寺） *Wat Pa Buddhagaya Vanaram Temple*
ウライル *Urel*
タラディ遺跡 *Taradih*
ネーランジャラー河 *Niranjana River*
ムチャリンダ・サロバール（第6週目） *Muchalinda Sarovar*
バター・ランプ・ハウス *Butter Lamp House*
メディテーション・パーク *Meditation Park*
歴代マハントの墓 *Tombs of Mahants*
ジャイ・プラカーシュ公園 *Jayprakash Park*

ヴェーラは「丘陵」を意味し、かつてマハーボーディ寺院の南側はすべて森(ジャングル)で、ブッダの生きた時代は1万人もの苦行者がこの森に暮らしていたという(かつてはカッサパ三兄弟の長男が住んでいて、ウルヴェーラ・カッサパと呼ばれていた。ビハール州南側のジャールカンドとは「森の国」を意味する)。現在はブッダガヤに残るいくつかの集落のひとつとなっている。

Hindu No Bodh Gaya

ヒンドゥーのブッダガヤ

インド人の多くが信仰するヒンドゥー教
仏教も長い歴史のなかでヒンドゥー教に吸収され
ブッダガヤもシヴァ派の聖地となっていた

仏教とヴィシュヌ教

「友愛」や「調和」を象徴し、シヴァ神とならぶヒンドゥー教の二大神のひとりヴィシュヌ神。仏教がヒンドゥー教に吸収されたことで、開祖ブッダはヒンドゥー教ではヴィシュヌ神の9番目の化身として信仰されている。そこからはインドとこの地で育まれたヒンドゥー教、それに対抗しようとした新思想の仏教とのせめぎあいを見てとれる。あらゆるものに神が宿るとし、バラモンによる祭祀を重視した『ヴェーダ』の宗教(バラモン教とのちのヒンドゥー教)に対し、紀元前6世紀ごろに生まれた仏教やジャイナ教、六師外道の新思想は、『ヴェーダ』的な最高神を否定することで共通する。一方、仏教成立と同時期にヴィシュヌ神信仰の体系もつくられ、硬直化したバラモン教に対して、東インドで仏教やジャイナ教が生まれ、西インドではヴィシュヌ教が生まれた。ヴィシュヌ信仰は、部族の英雄ヴァースデーヴァに対する信仰に、『ヴェーダ』でも描かれたヴィシュヌ、宇宙的哲学神ナーラヤーナ、実在した牛飼いのクリシュナ神などの信仰があわさって形成された(一方、シヴァ信仰は暴風神ルドラから生まれ、原住民のリンガ信仰や大地母神を配偶者や子どもとしてとりこんだ)。ヒンドゥー教が興隆したグプタ朝(320〜550年ごろ)の王室ではヴィシュヌ

インド仏教はヒンドゥー教の影響を受けて密教化した

ヴィシュヌ神、ブッダは第9の化身だともいう

シヴァ神そのものだと見られている男性器リンガ

マハントはヒンドゥー教シヴァ派の聖者だった

神が信仰され、紀元前後にはインド全域に広まった仏教も、強まるヒンドゥー教の勢力の前におされ、やがて吸収されていった。ブッダがヴィシュヌ神の化身であると考えられたのは550年ごろだという。13世紀のイスラム勢力の侵入で、インドでついえた仏教の信者は、イスラム教に改宗する者もいたが、多くはもっとも仏教の信仰に近いヒンドゥー教ヴィシュヌ派に改宗した。13〜14世紀にブッダガヤを訪れた巡礼者は「ブッダガヤの寺院はヒンドゥー寺院である」と記している。もともとはウルヴェーラやマハーボーディなどの名前で呼ばれていたこの地も、ヒンドゥー教徒から意図的に「ブッダガヤ（ヴィシュヌ神の化身であるブッダのガヤ）」と呼ばれるようになったという。またブッダガヤは、ヒンドゥー教徒が先祖に供物を捧げる儀礼ピンダ・ダーンを行なう聖地のひとつにあげられる。

ヒンドゥー教のなかのブッダ

ヴィシュヌ神の化身の代表格で、英雄的な性格をもつラーマやクリシュナと違って、その第9の化身とされるブッダは、「虚偽の教義（仏教）を説いて、阿修羅たちを破滅に導いた」と考えられている。昔むかし、神々と魔族とのあいだに戦争が起こり、魔族に敗れた神々は、乳海の北岸に逃れ、ヴィシュヌ神に祈りを捧げた。ヴィシュヌ神は、第9の化身マーヤーモーハ（ブッダ）を出現させると、剃髪で、孔雀の羽を身に着けたディガンバラ（裸行者）の姿となり、魔族のもとに向かった。第9の化身マーヤーモーハ（ブッダ）は「これはダルマのためであり、そうでないかもしれない」「涅槃を求めるなら、供犠をやめること」といった教え（仏教やジャイナ教の教えに近い）を説くと、魔族は堕落していった。そうして神々は魔族と戦って勝利し、魔族は滅ぼされたという。ヴィシュヌ神第9の化身ブッダが地上に現れたのは、第8の化身クリシュナ神のあと、第10の化身カルキ(未来)のあいだのことで、ブッダを最高神ヴィシュヌの化身としてとりこんだのは550年ごろだとされる。

マハントとブッダガヤ経済

長らく領主として、絶大な権力でブッダガヤを統治してきたヒンドゥー教シヴァ派の聖者マハント。1590年、初代マハントのガマンディ・ギリがこの地に拠点(ブッダガヤ・マト)を構え、1727年にムガル帝国ムハンマド・シャー・アラム帝から、ブッダガヤ・マトとマハーボーディ寺院をふくむ周辺、マスティプルとタラディというふたつの村の徴税権を認められた。このマハントはシャンカラ(700年ごろ〜750年ごろ)の流れをくむシヴァ・ダサナミ教団の聖者で、この教団の巡礼活動は絹や綿といった商品作物、北インドの経済や貿易に大きな影響をあたえた。そしてブッダガヤはシヴァ・ダサナミ派の聖地となったことで、その巡礼活動、巡礼税や荘園の管理が、18〜19世紀にかけてブッダガヤ経済を支えたという(当時の仏教徒の巡礼は毎年数百人、ヒンドゥー教徒は10万人以上にのぼった)。ブッダガヤ住民のほとんどが草刈りや農業の小作人など、マハントの仕事に従事し、マハントのもとには多くの高僧が身を寄せていた。長らくマハントの影響下にあったブッダガヤの住民は、ブッダガヤの仏教聖地化を受けて、観光業や土産物店などの職業につくようになった。

North of Mahabodhi Mahavihara

大塔北部城市案内

ブッダガヤの地方領主の邸宅ブッダガヤ・マト
仏教を篤く信仰するミャンマーの寺院
ブッダガヤをめぐってさまざまな想いが交錯してきた

ジャガンナート寺院 ★☆☆

Jagannath Mandir ／Ⓗजगन्नाथ मंदिर／Ⓤجگن ناتھ مندر

マハーボーディ寺院の北側に隣接して立つヒンドゥー教のジャガンナート寺院。16世紀以来のブッダガヤの地主マハントの領地に立ち、マハーボーディ寺院もマハントの所有するヒンドゥー寺院だと考えられていた。そして、ジャガンナート寺院ではヒンドゥー教の祭祀やマハントによる宗教儀礼が行なわれていたが、老朽化した寺院建築は壊され、2007年にこの地に新たなジャガンナート寺院を建てることが決まった（ヒンドゥー至上主義をかかげるBJPの勢力拡大も背景にあった）。こうして、仏教とヒンドゥー教というともにインドで生まれた宗教の寺院が並立することになった。ジャガンナート寺院は前殿と、シカラ屋根をもつ本殿からなり、オリッサのジャガンナート神がまつられている。

ブッダガヤ・マト ★☆☆

Bodh Gaya Math／Ⓗबोधगया मठ／Ⓤبودھ گیا خانقاہ

長らくブッダガヤの主（地方領主）として知られていたマハントの寺院、僧院、住居を兼ねたブッダガヤ・マト。1590年、シャンカラ・シヴァ派のヒンドゥー聖者初代マハントのガマンディ・ギリがこの地に拠点を構え、以来、ブッダ

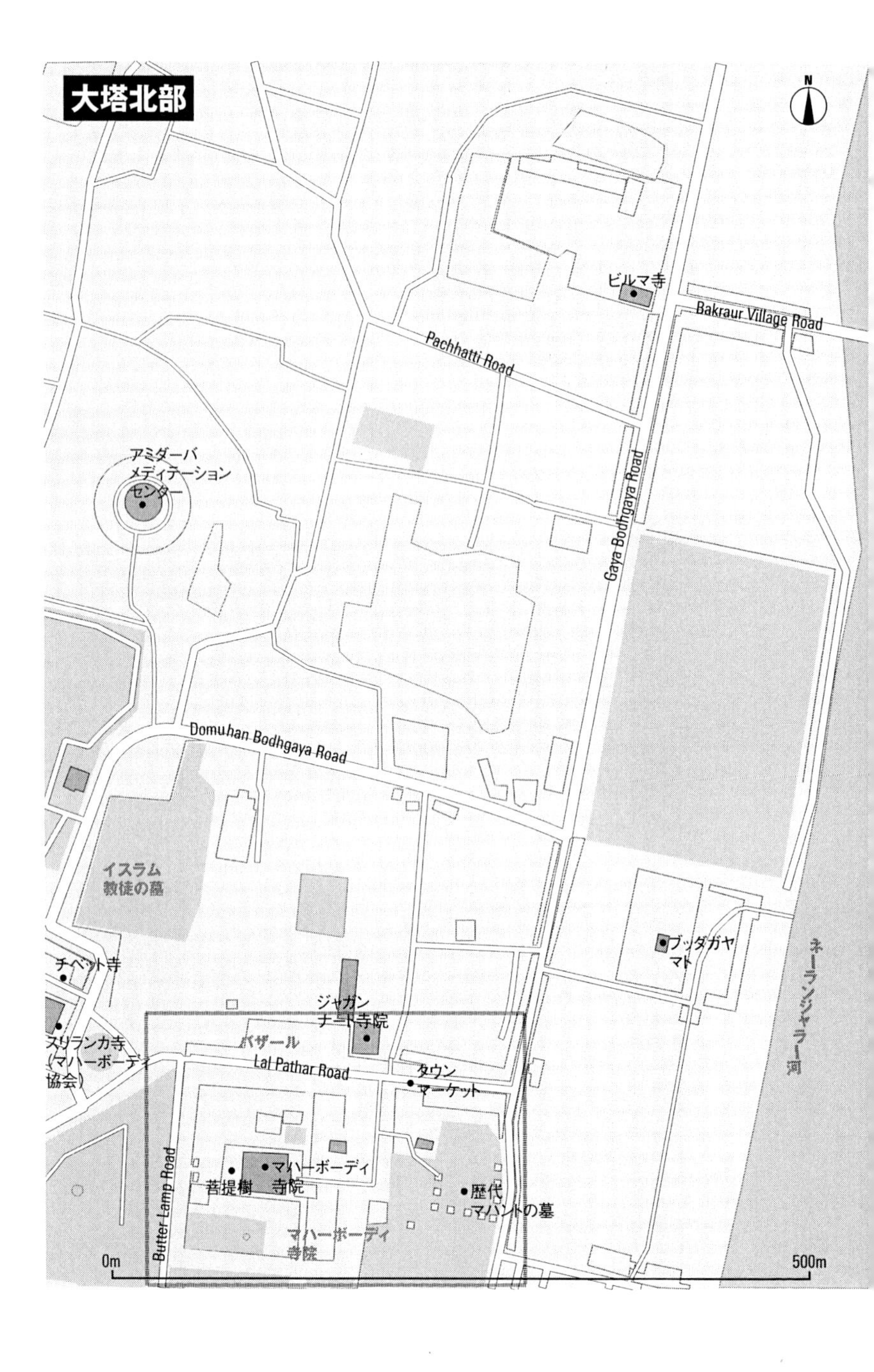
大塔北部
N
ビルマ寺
Bakraur Village Road
Pachhatti Road
Gaya Bodhgaya Road
アミダーバ
メディテーション
センター
Domuhan Bodhgaya Road
イスラム
教徒の墓
ブッダガヤ
マト
ネーランジャラー河
チベット寺
ジャガン
ナート寺院
スリランカ寺
(マハーボーディ
協会)
バザール
Lal Pathar Road
タウン
マーケット
Butter Lamp Road
マハーボーディ
寺院
菩提樹
歴代
マハントの墓
マハーボーディ
寺院
0m
500m

ガヤ・マトの歴代マハントは莫大な富と絶大な権力をもち、1727年にムガル皇帝ムハンマド・シャー・アラムから集落マスティプルとタラディをふくむ土地の所有権(徴税権)を得ていた。マハントは定住した宗教共同体(ダサナミ教団)の長で、400人ものサドゥーを弟子にもち、50～60人の有業者が滞在、邸内の数十の部屋、そこに飾られた頭のあるトラ皮の敷物の玉座、農園を抱えていた(300～500人に毎日、米が配られ、午後になると100～150頭の雄牛がたきぎを運んできたという)。1947年のインド独立以前はマハーボーディ寺院もマハントの所有物であり、ブッダはヴィシュヌ神の化身だとされ、ヒンドゥー教の儀式が行なわれていた。ブッダガヤの人びとは土地の所有を許されず、マハントを通じて以外、就労機会もなく、各家必ずひとりの労働力をブッダガヤ・マトに提供し、その対価として米や油を受けとった。一方で、マハントはブッダガヤの領民を保護してきたという一面もあり、飢饉のときには、ブッダガヤ・マトの隣に施し場所を設け、貧しい人びとや草むしりをしている人びとに食料を提供した。広大な土地をもつブッダガヤのマハントはまるで一国の王を思わせたが、インド独立の1947年以後、相対的に力はさがっていった。

★★★
マハーボーディ寺院 *Mahabodhi Mahavihara*
菩提樹 *The Sacred Bodhi Tree*

★★☆
タウン・マーケット(バザール) *Town Market*

★☆☆
ジャガンナート寺院 *Jagannath Mandir*
ブッダガヤ・マト *Bodh Gaya Math*
イスラム教徒の墓 *Kabristan*
ビルマ寺(ミャンマー寺) *Burmese Monastery*
アミダーバ・メディテーション・センター *Amitabha Meditation Center*
ネーランジャラー河 *Niranjana River*
スリランカ寺(マハーボーディ協会) *Sri Lanka Monastery(Maha Bodhi Society of India)*
チベット寺(ゲルク派チベット寺) *Tibetan Monastery*
歴代マハントの墓 *Tombs of Mahants*

ブッダガヤと歴代マハント

ブッダガヤのマハントは、インド仏教の伝統がついえてから数世紀が過ぎた1590年、インド各地を遊行したヒンドゥー聖者シャンカラ(700年ごろ~750年ごろ)の伝統を受け継ぐ聖者ゴサイン・ガマンディ・ギリがブッダガヤを訪れ、この地の静寂な環境に感銘を受け、庵を結んだことをはじまりとする。マハントはヒンドゥー教シャンカラ・シヴァ派の高僧であり、宗教的な托鉢者の連合体で、10の修行者系統にわかれたシヴァ・ダサナミ教団(「十人の名前」)を管轄する立場でもあった。第2代マハント・チャイタニヤ・ギリは、ヒンドゥー僧院の整備を進め、1628年にはムガル帝国から荘園領主としての土地の管理権を取得した。第3代マハント・マハデーヴァ・ギリはネーランジャラー河ほとりに広大な邸宅(ブッダガヤ・マト)を創建し、豊穣の女神アンナプルナの信仰者であったため、無限に穀物が出るという器とブッダガヤ・マトに現存する祠を建てた。マハントはムガル帝国治下でザミンダール(ペルシャ語で「土地の所有者」)となり、1764年のバクサルの戦いで、この地方を領有したイギリスも引き続き、マハントをこの地の徴税人とした。ブッダガヤはマハントが主宰するシヴァ・ダサナミ派の聖地であったことから、18~19世紀にかけて多くの巡礼者が訪れ、マハントはビハール第2の納税額をほこったという(そのため、イギリスも仏教徒ではなく、ヒンドゥー教徒のマハントよりの立場をとることがあった)。こうしたなか、1891年にマハーボーディ協会を設立して仏教復興運動を展開したダルマパーラの前に、ヒンドゥー聖者マハントが立ちはだかり、渡印した岡倉天心は1902年、第12代僧院長マハント・クリシュナ・ダヤル・ギリと面会している。1947年のインド独立を受けて、マハーボーディ寺院はマハントからインド政府側に管理権がわたり、インド各地のマハラジャや藩王たち同様に、やがてマハントの特権も失われ

この街では観覧車は法輪にも見える

少し街を離れればのどかな農村の風景が広がる

インドでは牛は聖なる生きものとして信仰されている

2002年の世界遺産登録もあって街は発展した

ていった。

イスラム教徒の墓 ★☆☆

Kabristan　Ⓗकब्रिस्तान／Ⓤقبرستان

　マハーボーディ寺院の北西側に位置するイスラム教徒の墓(カブリスタン)。ブッダガヤのイスラム教徒は19世紀の大塔再建のときに技術者として訪れた人たちを祖先にもつ。火葬されるヒンドゥー教徒は墓をもたないが、イスラム教徒は土葬されるため、遺体はモスクに運ばれたあと、ここカブリスタンで埋葬される。マハーボーディ寺院周囲が再開発されたなかでも、影響を受けずに残った。

ビルマ寺(ミャンマー寺) ★☆☆

Burmese Monastery／Ⓗबर्मीज़ मठ　Ⓤبرما مٹھ

　ブッダガヤの修復、仏教復興運動でスリランカとともに重要な役割を果たしてきたビルマ(ミャンマー)のビルマ寺。ビルマは上座部仏教の熱心な仏教国であり、ビルマ寺はマハーボーディ寺院の北郊外、ネーランジャラー河沿いの道路に位置する。イギリス統治下の1874年にビルマのミンドン王がマハーボーディ寺院を修復した経緯があり、その後、1875～77年にマハーボーディ寺院西側に建てられたビルマ・レストハウスを前身とする(インド仏教がついえたのちも、仏教徒のマハーボーディ寺院への信仰は消えず、とくにイギリス統治時代に、ビルマからの巡礼は続いた)。ダルマパーラの仏教復興運動の舞台にもなったビルマ・レストハウスは1956年にとり壊されたが、それ以前の1937年に新たなビルマ寺院が建てられていた。金色の屋根、パゴタ(ミャンマー式仏塔)が見え、本殿には黄色の袈裟をまとった仏像が安置されている。ビルマ(ミャンマー)本国では、軍事クーデターの影響で、ビルマの仏教サンガは社会的に孤立し、このブッダガヤの僧院が20世紀後半を通じてビルマ仏教の活動の中心地となっていた。

ビルマとブッダガヤ

紀元前6世紀ごろ、ブッダが悟りを開いた49日後に、ビルマ（ミャンマー）の商人タプッタとバッリカがブッダガヤの菩提樹のもとを偶然訪れ、ブッダに帰依してその仏髪をシュエダゴン・パゴダ（仏塔）に安置したと伝えられる。歴史では4～5世紀、仏教はビルマに伝来したと言われ、上座部仏教、大乗仏教、ヒンドゥー教などがもたらされた。そしてビルマ族によるパガン朝（1044～1299年）の広がりを受けて、先住民族のモン族に信仰されていた上座部仏教をとりこみ、国家宗教として仏教を保護するようになった（その後、15世紀、スリランカに仏僧を派遣して授戒法を会得させた）。熱心な仏教国であり、東インドと陸で続く地の利もあって、ビルマはブッダガヤの大塔の修理に深く関わってきた。英領インド時代の1871年、第5回仏典結集を行なったコンバウン朝ビルマのミンドン王（在位1853～78年）は、1874年にマハーボーディ寺院の修復を行なっている（ダルマパーラの仏教復興運動がはじまるのが1891年）。菩提樹を礼拝し、神聖な祠堂を維持する目的で宿泊施設ビルマ・レストハウスが建設されるなど、ビルマは世界の仏教国のなかでも多くの巡礼団を派遣してきた。独立ビルマの初代首相ウ・ヌ（1905～95年）もまた敬虔な仏教徒で、インドの仏教聖地との関わりを続けた。

アミダーバ・メディテーション・センター ★☆☆

Amitabha Meditation Center　Ⓗअमिताभ ध्यान केंद्र　Ⓤامیتابھا مراقبہ مرکز

大乗仏教の阿弥陀仏を奉じる団体のアミダーバ・メディテーション・センター（阿弥陀仏瞑想センター）。西方の極楽浄土にいて衆生を救済するという阿弥陀仏を信仰するチベット仏教の一派で、2007年に設立された。この仏教センターは巨大な円楼の中庭に楼閣がそびえる大型建築で、中央楼閣内に阿弥陀仏を安置する。周囲の円形楼閣

アショカ王のブラフミー文字までさかのぼるデーヴァナーガリー文字

は修行者、出家者たちの宿泊施設で、研究も行なわれている。

少しのところへ行くにはリキシャが便利

ブッダガヤ郊外で田植えの場面に出合った

こちらは人力のサイクルリキシャ

View in Behar.

Sujata Village

スジャータ村城市案内

わずかに水をたたえるネーランジャラー河のほとり
釈迦族の王子シッダールタが苦行し
そしてここで乳粥を飲んだ

ネーランジャラー河 ★☆☆

Niranjana River／Ⓗ निरंजना नदी／Ⓤ دریائے نیرنجنا

ブッダの生きた紀元前6世紀ごろの仏典にも描かれ、ブッダが悟りを開く前に沐浴したというネーランジャラー河。ウルヴェーラの森（象頭山）で6年間苦行したシッダールタは、セナーニ村でスジャータの乳粥を受け、体力を回復させたあと、この河で身を清めたという。サンスクリット語ではナイランジャナー河といい、ネーランジャラーとは「汚れなきもの」を意味し、漢訳仏典では「尼蓮禅河」という（ネーランジャラーの、ネーラは「青」、青い水をたたえる川のこと）。洪水のときは満水になりブッダガヤの街までもひたすほどだが、乾季にはほとんど水がなく、河床に洗濯物を広げてほしてある、という光景も見られる。現在、このネーランジャラー河はファルグ川と呼ばれていて、ビハール州ハザリバグ地方のシマリアから流れて、ブッダガヤにいたり、さらに北流してガヤを過ぎ、パトナの東でガンジス河にそそぐ（またファルグ川西側の一支流をネーランジャラー河とも呼ぶ）。

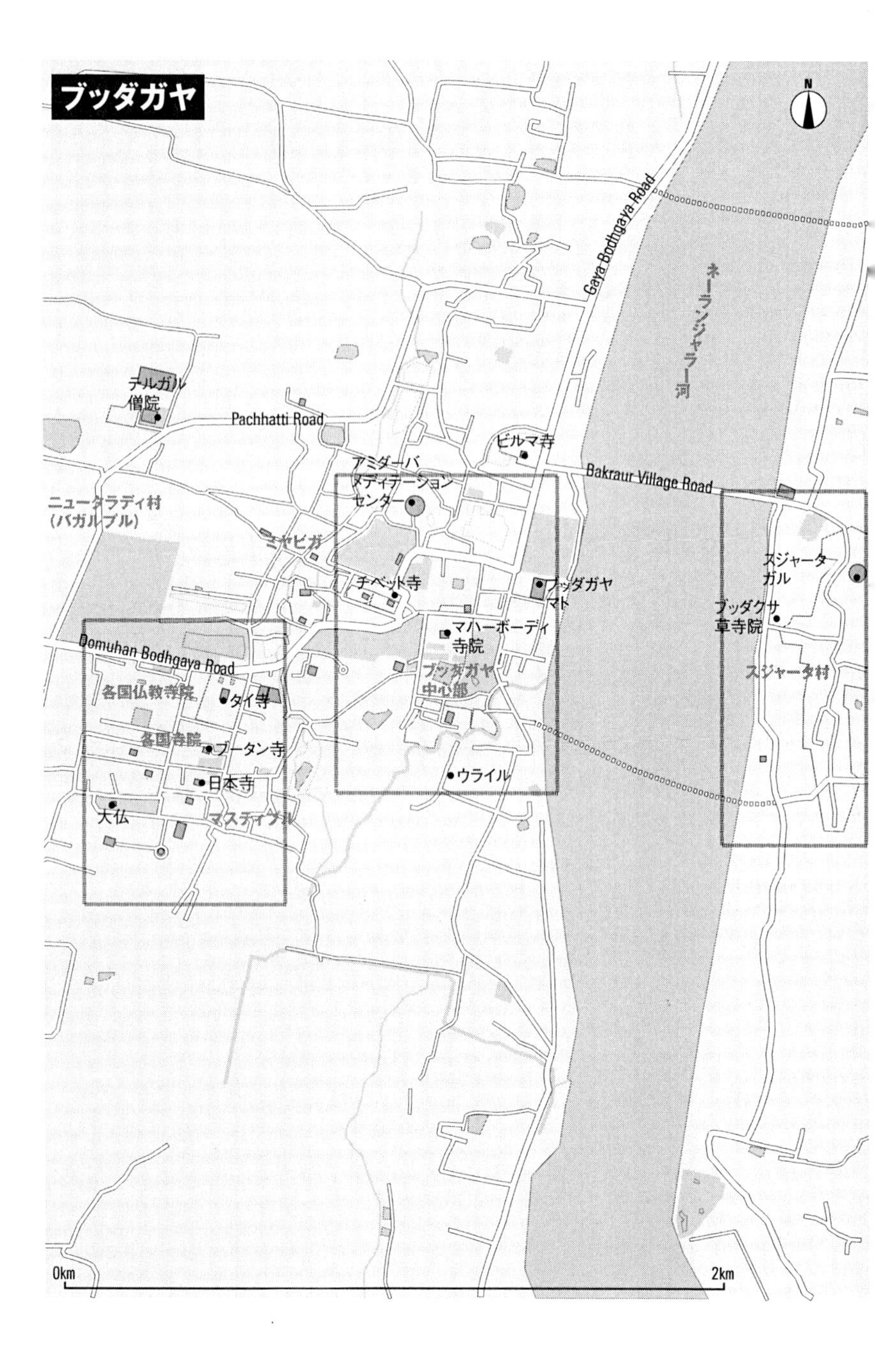
ブッダガヤ
N
Gaya Bodhgaya Road
ネーランジャラー河
テルガル
僧院
Pachhatti Road
ビルマ寺
アミダーバ
メディテーション
センター
Bakraur Village Road
ニュータラディ村
（バガルプル）
ミヤビガ
チベット寺
ブッダガヤ
マト
スジャータ
ガル
ブッダクサ
草寺院
マハーボーディ
寺院
Domuhan Bodhgaya Road
ブッダガヤ
中心部
スジャータ村
各国仏教寺院
タイ寺
各国寺院
ブータン寺
日本寺
ウライル
大仏
マスティプル
0km
2km

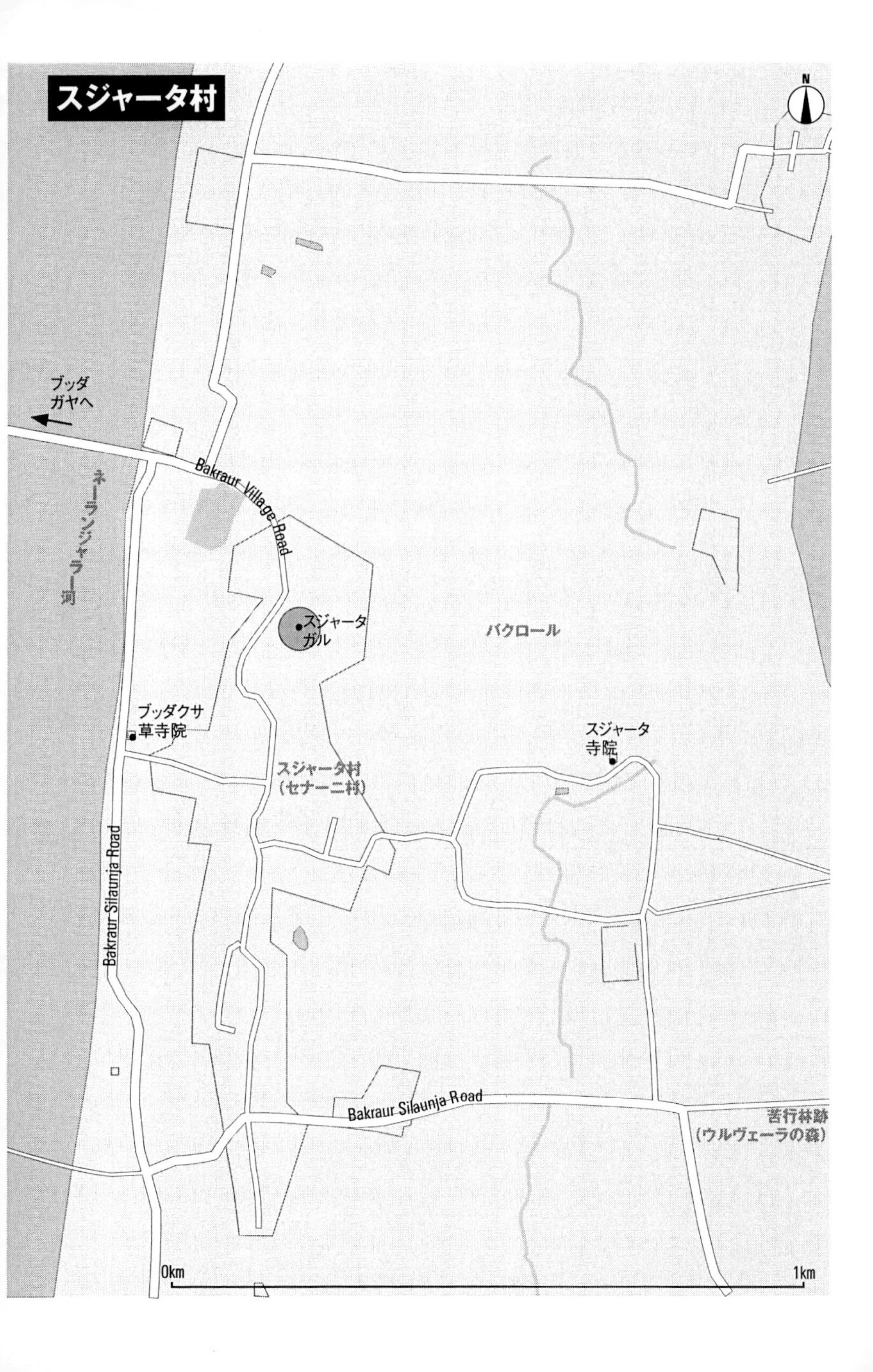

スジャータ村
N
ブッダ
ガヤへ
ネーランジャラー河
Bakraur Village Road
スジャータ
ガル
バクロール
ブッダクサ
草寺院
スジャータ
寺院
スジャータ村
（セナーニ村）
Bakraur Silaunja Road
Bakraur Silaunja Road
苦行林跡
（ウルヴェーラの森）
0km
1km

バクロール ★☆☆

Bakraur／㊃बक्रौर ㋒بکرور

　ネーランジャラー河(現ファルグ川)と、その支流の合流点の中州の土地をバクロールと呼ぶ(チベット名でロトゥックカワと呼称される)。ブッダガヤの対岸にあたり、両者は橋(沈下橋)で結ばれている。このバクロールにはブッダの時代、セナーニ村という軍人たちの暮らす集落があり、悟りを開く直前のブッダに乳粥を捧げるスジャータが住んでいたことから、現在はスジャータ村と呼ばれている。スジャータ村には、スジャータがブッダに乳粥を捧げた場所に立つストゥーパ、スジャータの家、ブッダが悟りを開くため菩提樹のもとへ行くときにクサ草をもらった場所などが残っている。青くすんだ水と美しい森があるこの場所は、苦行者たちの格好の修行場となっていた。

★★★

マハーボーディ寺院 *Mahabodhi Mahavihara*
大仏(80フィート・ブッダ) *80 Feet Buddha Statue(The Great Buddha Statue)*

★★☆

スジャータ村(セナーニ村) *Sujata Village*
スジャータ・ガル *Sujata Garh(Sujata Stupa)*
各国仏教寺院 *Buddhist Temples*
タイ寺(ロイヤル・ワット・タイ) *Wat Thai Buddhagaya*
ブータン寺 *Royal Bhutan Monastery*
日本寺(印度山日本寺) *Japanese Temple*

★☆☆

ネーランジャラー河 *Niranjana River*
バクロール *Bakraur*
スジャータ寺院 *Sujata Temple*
苦行林跡(ウルヴェーラの森) *Uruvela*
ブッダ・クサ草寺 *Buddha Kusa Grass Temple*
ニュー・タラディ村(バガルプル) *Bhagalpur*
テルガル僧院 *Tergar Monastery*
チベット寺(ゲルク派チベット寺) *Tibetan Monastery*
マスティプル *Mastipur*
ウライル *Urel*
ブッダガヤ・マト *Bodh Gaya Math*
ビルマ寺(ミャンマー寺) *Burmese Monastery*
アミダーバ・メディテーション・センター *Amitabha Meditation Center*

スジャータ村(セナーニ村) ★★☆

Sujata Village/㋪ सुजाता ग्राम/㋒ سوجاتا گاؤں

苦行を捨て、悟りを開く直前のブッダに乳粥を捧げた娘スジャータの暮らしていたスジャータ村(セナーニ村)。この村はブッダ時代のウルヴェーラの一部を構成し、当時はセナーニ村といった。セナーニとは地名であり、職名で「兵士の長」を意味するセーナパティに由来し、スジャータは現在のバクロール地域にあった軍営村の長セナーニの娘だったという(ビハール南のジャールカンドが「森の国」を意味するように、当時のガヤより南には未開で異なる部族が暮らしていたため、この地に土地を防衛するための軍人の集落があったと考えられている)。身体の衰弱したシッダールタに乳粥をあたえたスジャータを記念した大きなストゥーパの基壇スジャータ・ガル、スジャータをまつる寺院など、悟りを開いてブッダとなる前の仏教ゆかりの場所が点在し、スジャータ村には多くの仏足石が残っている。スジャータ村の人はスジャータの子孫を自認し、あたりは美しい田園風景が広がっている。

スジャータ・ガル ★★☆

Sujata Garh (Sujata Stupa) ㋪ सुजाता गढ़/㋒ سوجاتا گڑھ

村の長セナーニの家に生まれた娘スジャータがシッダールタに乳粥を捧げた場所に立つスジャータ・ガル。ウルヴェーラの森(ガヤ山、前正覚山、スジャータ村の東ともいう)で6年間の苦行を行なったが、それでは悟りは開けないと考えたシッダールタは苦行を捨て、スジャータ村で托鉢を行なった。ひどく痩せたシッダールタの様子を見て、娘スジャータは乳粥を捧げ、体力を回復させたシッダールタはネーランジャラー河で沐浴し、悟りを開くため菩提樹のもとへ向かった。インドでは古くから牛乳を飲んで元気をつける習慣があり、乳粥とはミルク(乳)と砂糖で炊いた米をさす。スジャータ・ガルはこの故事をもとに、

ネーランジャラー河対岸のスジャータ村

ブッダに乳粥を捧げるスジャータの像

バクロールから前正覚山をのぞむ

ブッダ時代のウルヴェーラもこのような森だったのだろうか

スジャータの徳をたたえて紀元前3世紀にアショカ王が建てたストゥーパを前身とする。その後、グプタ朝(320〜550年ごろ)時代からパーラ朝(8〜12世紀)に増改築が進み、9世紀のデーヴァパーラ王の刻文にはその経過が記されている。1959年には小さな木の茂る丘(マウンド)だったが、1973〜74年、2001〜06年の発掘で、スジャータの名を記した印章、陶器やコインが発見された。古代レンガづくりのマウンド(ストゥーパ基壇)は、高さ11m、二重構造で、ストゥーパ最終期の最大直径は65.5mにおよぶ。スジャータ・クティ、スジャータ・ストゥーパともいう。

苦行から菩提樹での悟りへ

「生老病死」という苦しみからの解脱を求めて、出家の道を選んだ釈迦族の王子シッダールタ。当初、マガダ国の都ラージギル(王舎城)におもむいたが、そこで納得できる答えを見いだせず、ウルヴェーラの森で6年もしくは7年間、5人の修行者とともに苦行にはげんだ(ウルヴェーラの森の場所は諸説あるが、ガヤ近くのガヤ山がそれにあたるという)。しかし、シッダールタは苦行では悟りは得られないと考えて、苦行をやめて托鉢に出かけ、娘スジャータの乳粥を受けた。5人の修行者はシッダールタが堕落したと考え、その場を離れてサールナートへ向かった(これがのちにブッダが最初に教えを説く5人)。一方、シッダールタはネーランジャラー河のスッパティッティタという沐浴場で身を浄めた。そして、悟りを開くためにまず前正覚山におもむいたが、そこが悟りを開くための場所としてふさわしくないことを知り、菩提樹(ブッダガヤ)のもとへ向かった。悟りを開いたあと、シッダールタは「ブッダ」、ピッパラ樹は「菩提樹」、ウルヴェーラの森は「ブッダガヤ」と名前を変えた。

乳粥を捧げるスジャータ

シッダールタに乳粥を捧げる以前、娘スジャータは1本のニグロダ樹に祈願をかけた。「もし私が嫁いで、男の子を授かったら、毎年あなたにお供えものをしましょう」。スジャータの願いはかない、その御礼の供養祭をしようとして、夜明けとともに起き、8頭の牝牛の乳をしぼろうとすると、容器をさし出しただけでたちまち乳がほとばしり出た。そしてスジャータが乳粥を煮はじめると、一滴も吹きこぼれず、煙ものぼらなかった。そればかりか、世界を守護する四神がやってきて、大梵天(ブラフマー神)が天蓋をさし、帝釈天(インドラ神)が松明をもって、スジャータを助けた。夜が明けてニグロダ樹のもとに向かうと、シッダールタは木の根元で東方の世界を眺めて坐っていて、スジャータの乳粥を受けた。このブッダに捧げられた乳粥に関しては仏伝によって異なる様子が描かれていて、ブッダが悟りを開いてからスジャータの家に行って、乳粥を得たという説や、ふたりの娘が乳粥を捧げたという説もある。

スジャータ寺院 ★☆☆

Sujata Temple ㋪सुजाता मंदिर ㋒سجاتا مندر

スジャータ村に残るこぢんまりとしたスジャータ寺院。苦行して痩せこけたシッダールタと、シッダールタに乳粥を捧げるスジャータがまつられている。(乳粥を受けた)この出来事のあと、シッダールタが悟りを開いたことから、後世にスジャータも信仰対象になった。ブッダに捧げる乳を出した牛の姿も見られ、樹神信仰、スジャータの家など、仏教とヒンドゥー教の混交した寺院となっている。

骨と筋だけになったブッダ像がまつられている、スジャータ寺院

苦行林跡（ウルヴェーラの森）★☆☆

Uruvela／Ⓗ उरुवेला／Ⓤ اوروِیلا

カピラヴァストゥの王子であった釈迦族の王子シッダールタが出家したのち、6年間の苦行をした場所と目されている苦行林跡。ウルヴェーラの森（「広い岸辺」という意味）という地域は広く、この苦行林跡、象頭山（ブラフマヨニ・ヒル）、前正覚山（ドゥンゲシュワリ・ヒル）などがブッダ苦行の場所の候補として考えられている。ここでシッダールタは、5人の修行者とともに己の身体を痛めつけたり、食事をたつ苦行をし、背骨が曲がって立つこともできなくなったという。この話から、苦行林跡では、きびしい苦行で骨と筋だけになったブッダ像などがおかれている。ウルヴェーラの森という名前のとおり、かつて森でおおわれていたが、現在はところどころに木が茂っている。

ブッダ・クサ草寺 ★☆☆

Buddha Kusa Grass Temple／Ⓗ बुद्धा कुश ग्रास मंदिर／
Ⓤ بدھا کوش گھاس مندر

ネーランジャラー河のほとりに立つブッダ・クサ草寺。スジャータに乳粥を受けてから、シッダールタは北東郊外の前正覚山（ドゥンゲシュワリ・ヒル）に行ったが、「ここは適当な場所ではない」と龍王に告げられ、前正覚山をおりてそこから菩提樹におもむいた。菩提樹（ブッダガヤ）へ向かう途中、龍や夜叉やガルーダなどが天上の香りや花を供養し、天上の合唱がわき起こり、まもなく悟りを開くであろうシッダールタ（ブッダ）をたたえた。シッダールタは河岸の花盛りの沙羅双樹の林で昼の休息をとり、夕暮れになって花が茎から落ちようとしてしていた。そのとき、ソッティヤという名の草刈りが、草をかついでやって来て、シッダールタに八つかみの草を献じた。ブッダ・クサ草寺は、シッダールタが瞑想禅定するにあたって坐るためのクサ草を受けたその場所に立つという（そしてシッダールタは菩提樹に進んだ）。インドでバラモンが儀式に使う草をクサ（クシャ）という。

最大直径65.5mの巨大なスジャータ・ガル

頭に荷物を載せて運ぶ女性

そして瞑想をはじめたシッダールタは悟りを開いた

Around Bodh Gaya

ブッダガヤ郊外城市案内

仏教聖地の整備を受けて
旧タラディ村が郊外に遷るなど
ブッダガヤの街は郊外に広がっていった

マーケット・コンプレックス ★☆☆

Market Complex／ⓗमार्केट कॉम्प्लेक्स ⓤمارکیٹ کمپلکس

ホテル、レストラン、雑貨店、旅行代理店などが集まるマーケット・コンプレックス。20世紀後半以降の仏教聖地ブッダガヤの整備、街の拡大を受けて、中心部から1.5km離れた場所に整備された。ビハール州の主導でつくられ、チベット難民市場が隣接する。

チベット難民市場 ★☆☆

Tibetan Refugee Market ⓗतिब्बती शरणार्थी मार्केट
ⓤتبتی پناہ گزین مارکیٹ

インドに亡命してきたチベット難民によるチベット難民市場。中国軍によるラサ進駐後の1959年、ダライ・ラマ14世をはじめとする多くのチベット人がヒマラヤを超えて、インドやネパールへ亡命した。仏教を信仰するチベット人は、亡命政府のあるダラムサラから仏教聖地のブッダガヤに定期的に巡礼し、このチベット難民市場ももともとマハーボーディ寺院近くにあった。服やショール、毛布などの毛糸商品、巡礼者のための品をあつかう店がならび、モモ、トゥクパなどのチベット料理を出す店も見られる。ダージリン、ハリドワール、ダラムサラ、ネパールなどから、ブッダガヤに移住してきたチベット人女性が店

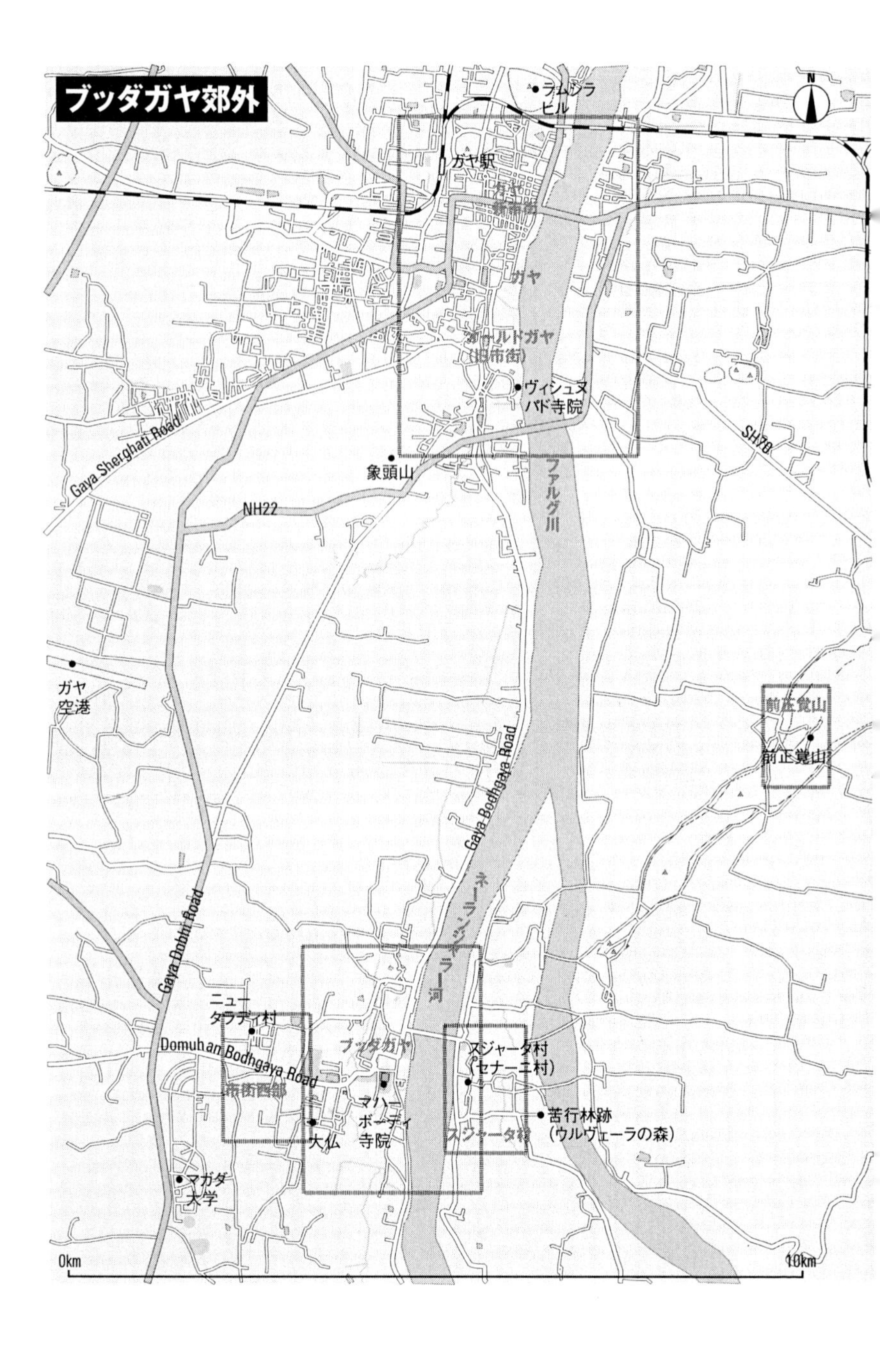

ブッダガヤ郊外
N
ラムシラヒル
ガヤ駅
ガヤ新市街
ガヤ
オールドガヤ（旧市街）
ヴィシュヌパド寺院
SH70
Gaya Sherghati Road
象頭山
NH22
ファルグ川
ガヤ空港
前正覚山
前正覚山
Gaya Bodhgaya Road
ネーランジャラー河
Gaya Dobhi Road
ニュータラディ村
Domuhan Bodhgaya Road
市街西部
ブッダガヤ
マハーボーディ寺院
大仏
スジャータ村（セナーニ村）
スジャータ村
苦行林跡（ウルヴェーラの森）
マガダ大学
0km
10km

を切りもりしている。

ルート・インスティテュート寺 ★☆☆

Roots Institute／ⓗ रूट इंस्टीट्यूट मंदिर／ⓤ روٹ انسٹی ٹیوٹ مندر

チベット伝統の修行や、仏教の瞑想、哲学の研究を行なうルート・インスティテュート寺。1984年にチベット仏教の高僧によって建てられた仏教センターで、インドをはじめ世界30か国以上にある拠点のひとつ。チベット仏教で大きな意味をもつ「空」の思想を説いた金色のナーガールジュナ坐像と、弥勒像が立つ。

韓国寺 ★☆☆

Korea Temple ⓗ कोरिया मंदिर／ⓤ کوریا مندر

韓国仏教協会が拠点を構え、韓国人の仏教徒が巡礼に訪れる韓国寺。韓国仏教は、372年もしくは375年に中国の前秦(東晋)から高句麗に伝わったのがはじまりで、その後、百済には384年に、新羅にはさらに遅れて5世紀に仏

★★★
ブッダガヤ *Bodh Gaya*
マハーボーディ寺院 *Mahabodhi Mahavihara*
大仏(80フィート・ブッダ) *80 Feet Buddha Statue(The Great Buddha Statue)*

★★☆
前正覚山(ドゥンゲシュワリ・ヒル) *Dungeshwari Hill*
ガヤ *Gaya*
ヴィシュヌ・パド寺院 *Vishnupadh Mandir*
スジャータ村(セナーニ村) *Sujata Village*

★☆☆
ニュー・タラディ村(バガルプル) *Bhagalpur*
マガダ大学 *Magadh University*
ネーランジャラー河 *Niranjana River*
苦行林跡(ウルヴェーラの森) *Uruvela*
ガヤ空港 *Gaya International Airport*
オールド・ガヤ *Andar Gaya*
ファルグ川 *Falgu River*
象頭山(ブラフマヨニ・ヒル) *Brahmayoni Hill*
ガヤ新市街 *Sahebganj*
ガヤ・ジャンクション鉄道駅 *Gaya Junction Railway Station*
ラムシラ・ヒル *Ramshila Hill*

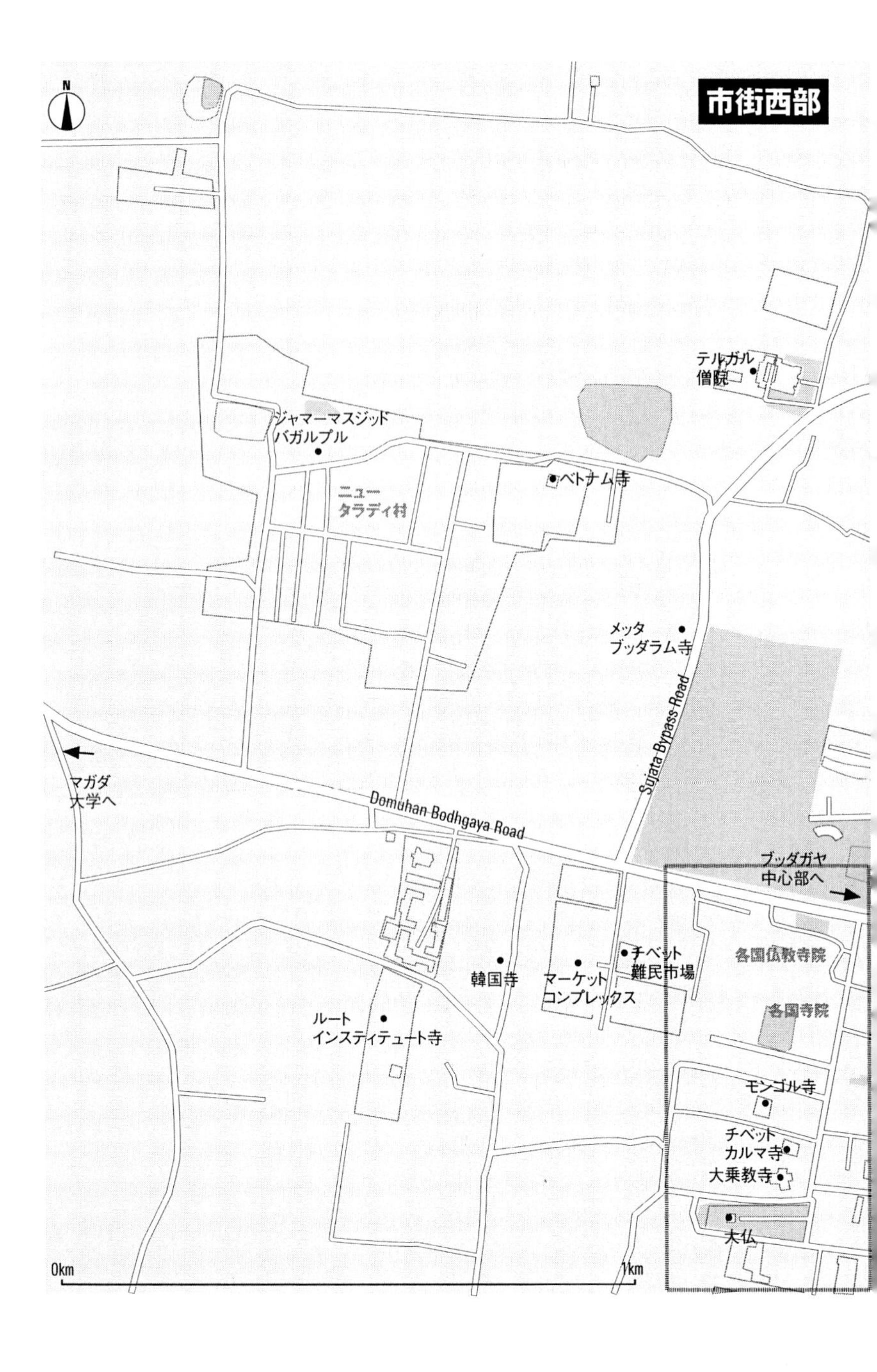
市街西部
N
テルガル
僧院
ジャマーマスジッド
バガルプル
ニュー
タラディ村
ベトナム寺
メッタ
ブッダラム寺
Sujata Bypass Road
マガダ
大学へ
Domuhan Bodhgaya Road
ブッダガヤ
中心部へ
チベット
難民市場
各国仏教寺院
韓国寺
マーケット
コンプレックス
各国寺院
ルート
インスティテュート寺
モンゴル寺
チベット
カルマ寺
大乗教寺
大仏
0km
1km

教が伝来した。韓国仏教は中国仏教の影響が強く、538年に日本に仏教を伝えたことも特筆される。儒教を重んじた李氏朝鮮時代(1392〜1910年)に衰退したが、1910年の韓国併合で日本仏教が逆輸入され、戦後(1945年以後)は信教の自由が認められて、韓国仏教の復興運動が展開された。韓国寺はブッダガヤの中心からは少し離れた西郊外にあり、1991年に創建された。

ニュー・タラディ村(バガルプル) ★☆☆

Bhagalpur/ Ⓗ भागलपुर/ Ⓤ بھاگلپور

マハーボーディ寺院の北西2km郊外に位置するニュー・タラディ村(バガルプル)。ブッダガヤの開発が進む20世紀以前(1980年以降)に、ブッダガヤのバザールがあったマハーボーディ寺院南側のタラディ村の住民が移住してきてつくられた(旧タラディは1980年にモスクなどを残してとり壊された)。ニュー・タラディ村と呼ばれるほか、「逃げる(バガル)」という意味のバガルプルとも呼ぶ。この村では、ホテルや観光業に従事する人が多い。

★★★

大仏(80フィート・ブッダ) *80 Feet Buddha Statue(The Great Buddha Statue)*

★★☆

各国仏教寺院 *Buddhist Temples*
チベット・カルマ寺 *Karma Temple*

★☆☆

マーケット・コンプレックス *Market Complex*
チベット難民市場 *Tibetan Refugee Market*
ルート・インスティテュート寺 *Roots Institute*
韓国寺 *Korea Temple*
ニュー・タラディ村(バガルプル) *Bhagalpur*
ジャマー・マスジッド・バガルプル *Jama Masjid Bhgalpur*
ベトナム寺 *Vietnam Bouddha Vihara Bhumi*
メッタ・ブッダラム寺 *Metta Buddharam Temple*
テルガル僧院 *Tergar Monastery*
大乗教寺(釈迦堂) *Daijokyo Buddist Temple*
モンゴル寺 *Mongolian Temple*

ジャマー・マスジッド・バガルプル ★☆☆

Jama Masjid Bhgalpur／Ⓗ जामा मस्जिद भागलपुर／Ⓤ جامع مسجد بھاگلپور

ニュー・タラディ村(バガルプル)のイスラム教徒が金曜日の集団礼拝を行なうジャマー・マスジッド・バガルプル。かつての旧タラディ村には、19世紀にマハーボーディ寺院の修復作業をになったイスラム職人の子孫が暮らしていて、現在も旧タラディ村の一角、寺院に隣接してモスクが残っている。このジャマー・マスジッド・バガルプルは、ニュー・タラディ村に移住してきたイスラム教徒のために1997年に建てられた。

ベトナム寺 ★☆☆

Vietnam Bouddha Vihara Bhumi／Ⓗ विएतनाम मठ　Ⓤ ویتنام خانقاہ

ブッダガヤ中心の喧騒から離れた静かな田園地帯に立つベトナム寺。3世紀ごろ、インドからベトナムに海路で仏教が伝わったと言われるが、その後、中国(隋)の影響を受けた大乗仏教がベトナム仏教の本流となっている(ベトナムは漢字文化圏であり、東南アジアで唯一の大乗仏教圏)。このベトナム寺は1987年に設立され、広大な敷地をもち森に囲まれたなか、ベトナム風の牌楼、そびえる重層の楼閣式塔が立つ。僧坊も用意されている。

メッタ・ブッダラム寺 ★☆☆

Metta Buddharam Temple／Ⓗ मत्ता बुद्धाराम मंदिर　Ⓤ میتا بدھرم مندر

ブッダガヤ郊外に立つタイ系仏教寺院のメッタ・ブッダラム寺(ワット・タイ・ブッダガヤ)。ガルーダとタイ語で書かれた文言が見え、寺院全体が白と銀色で彩られていることから、「銀の寺」ともいう。印を結んだ白亜の仏像がおかれ、その奥には鋭利な切妻屋根をもつ本殿が立つ。

20世紀後半から急速に人口が増えた

前正覚山の中腹へ続く階段

マハカラ洞窟（留影窟）の灯明

ニュー・タラディ村にも各国の仏教寺院が立つ

前正覚山

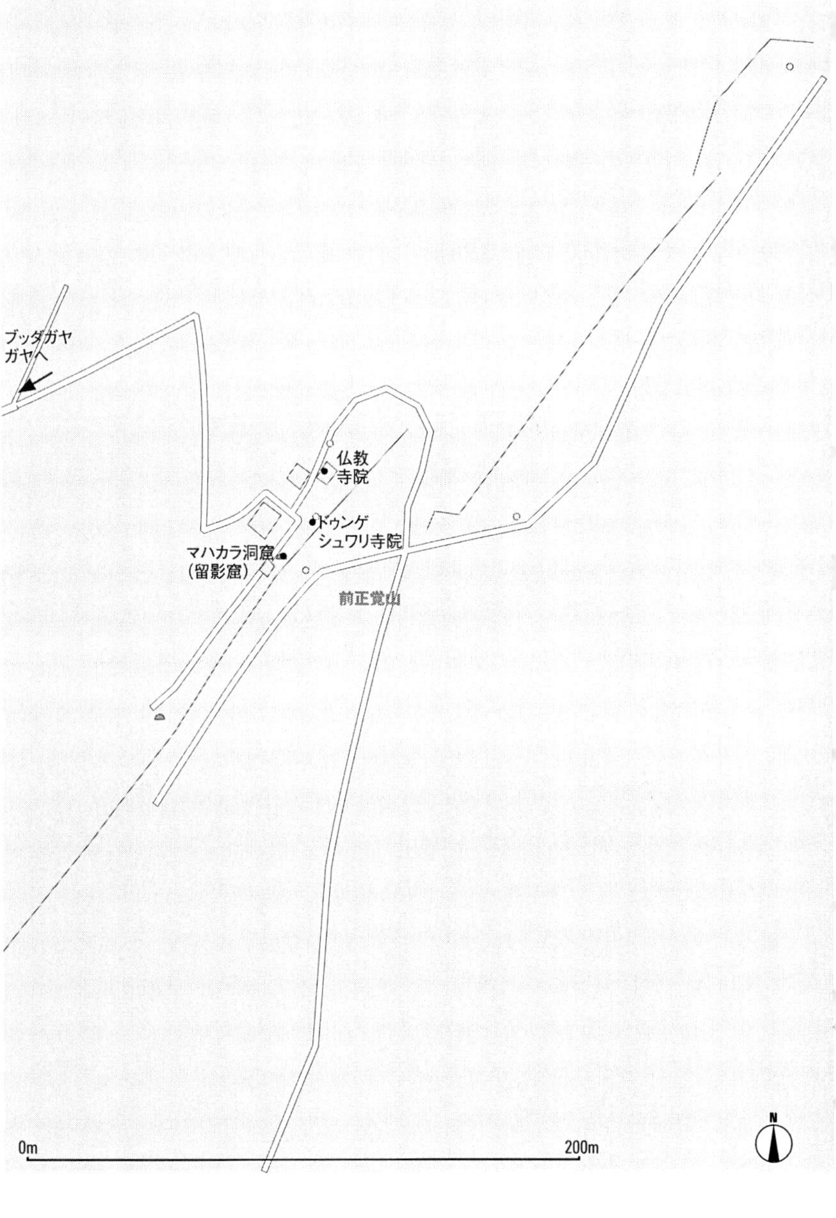

ブッダガヤ
ガヤへ

仏教
寺院

ドゥンゲ
シュワリ寺院

マハカラ洞窟
(留影窟)

前正覚山

0m

200m

N

テルガル僧院 ★☆☆

Tergar Monastery ／Ⓗ तेर्गर मठ／Ⓤ تیرگر خانقاہ

ブッダガヤに建てられた、チベット仏教カルマ・カギュ派の系譜を受け継ぐテルガル僧院。テルガルとは「宝の集まる」を意味する。1999年に寺院建設が計画され、2006年に完成した。法輪を屋根にかかげたチベット式の外観をもち、内部は極彩色に彩られ、仏像が安置されている。この宗派(テルガル)は世界中に拠点をもち、瞑想や修行を行なう人たちが訪れている。

マガダ大学 ★☆☆

Magadh University／Ⓗ मगध विश्वविद्यालय／Ⓤ مگدھا یونیورسٹی

マガダ大学はビハール州最大の大学で、古代インドの中心であったマガダ国から名前がとられている。1962年に創建され、マガダ大学のブッダガヤ・キャンパスは、西3km郊外の静かな環境のなか広がる(ガヤとドビーを結ぶ幹線上に位置する)。人文科学、社会科学、自然科学、商学の学部などから構成される。

前正覚山(ドゥンゲシュワリ・ヒル) ★★☆

Dungeshwari Hill／Ⓗ दुंगेश्वरी पहाड़ी／Ⓤ ڈنگیشوری پہاڑی

菩提樹のもとで悟りを開く直前にシッダールタ(ブッダ)が滞在したことから、「正覚(悟り)の前の山」という意味をもつ前正覚山。スジャータ村の北東にそびえる岩山で、地元ではドゥンゲシュワリ・ヒルと呼ばれている。釈迦族の都カピラヴァストゥをあとにしたシッダールタはまずラージギル(王舎城)におもむき、その後、ウルヴェー

★★☆

前正覚山(ドゥンゲシュワリ・ヒル) *Dungeshwari Hill*

★☆☆

マハカラ洞窟(留影窟) *Mahakala Cave*

ドゥンゲシュワリ寺院(ドゥンゲシュワリ洞窟寺院) *Dungeshwari Cave Mandir*

ラの森（ブッダガヤ）で、6年間の苦行を行なった。シッダールタが苦行をしたウルヴェーラの森にはいくつかの説があり、象頭山（ブラフマヨニ・ヒル）、この前正覚山（ドゥンゲシュワリ・ヒル）、スジャータ村の東の苦行林跡などが候補とされる。そして、苦行では悟りを開けないと知ったシッダールタは、苦行をやめ、娘スジャータから乳粥を受けてネーランジャラー河で沐浴した。その後、シッダールタは悟りのために幽寂な前正覚山に東北側からのぼったが、頂上で山神が現れて、「この山は悟りを開かれる場所ではない」と告げた。シッダールタは南西より前正覚山を降り、その中腹に石窟があったのでそこに坐った。すると浄居天が現れて、「ここは悟りを開かれる場所ではない」と話し、「苦行した場所から遠くない場所にピッパラ樹（菩提樹）があり、そこへ行くように」と告げた。以上の話は玄奘三蔵の『大唐西域記』に記されていて、紀元前3世紀ごろ、アショカ王が前正覚山の頂上にストゥーパを建てたという。現在、前正覚山（ドゥンゲシュワリ・ヒル）には3つの洞窟があり、ブッダが苦行したという洞窟とそれに隣接してヒンドゥー教のドゥンゲシュワリ洞窟寺院が残り、仏教とヒンドゥー教双方の聖地となっている。

マハカラ洞窟（留影窟） ★☆☆

Mahakala Cave／㋪ महाकाल गुफा／㋒ [illegible]

前正覚山の中腹に立つチベット寺院の一隅に残るマハカラ洞窟（留影窟）。シッダールタ（ブッダ）が悟りを開く前に6年のあいだここで苦行したと伝えられる。かつてこの石室には龍がいて、「ここで悟りを開いてほしい」と願った龍に対して、菩提樹へ向かうシッダールタが「自らの影をこの地に留めた」ことから、留影窟ともいう（シッダールタはここが悟りを開くのにふさわしい場所ではないと知っていた）。洞窟内はうすぐらがりで、小さな入口からなかに入ると、苦行で筋と骨だけになった黄金のシッダールタ像がおかれている。

ドゥンゲシュワリ寺院（ドゥンゲシュワリ洞窟寺院）★☆☆

Dungeshwari Cave Mandir ㋪दुंगेश्वरी गुफाएं मंदिर／㋒ڈونگیشوری غار مندر

前正覚山の洞窟寺院の2つの小さな祠堂のうち、もうひとつがヒンドゥー教の女神ドゥンゲシュワリに捧げられたもの（2体の像がならぶ）。この女神の名前が山全体の名前（ドゥンゲシュワリ・ヒル）にもなっていて、女神はシヴァ神の配偶神ドゥルガー女神の化身であり、シッダールタに乳粥を捧げたスジャータの化身とも見られる。

ガヤ空港 ★☆☆

Gaya International Airport ㋪गया अंतर्राष्ट्रीय हवाई अड्डा ㋒گیا بین الاقوامی ہوائی اڈہ

ブッダガヤの北西8km、ガヤの南西8kmに位置するガヤ空港。ブッダガヤ空港ともいい、東南アジアの仏教国と、ガヤを結ぶ国際便が飛んでいる。仏教が伝わった東方世界の楼閣を思わせる屋根をもつ。

前正覚山は仏教とヒンドゥー教双方の聖地でもある

ブッダガヤへの玄関口ガヤ空港

कृपया
शान्ति बनाये रखें
PLEASE KEEP SILENCE

Gaya

ガヤ城市案内

ブッダガヤへの起点となる街、ガヤ
ここはヴィシュヌ神の足あとが残るヒンドゥー聖地
多様なインドの宗教世界が交錯する

ガヤ ★☆☆

Gaya ㋪गया／㋒گیا

　州都パトナの南100kmに位置し、ファルグ川の河岸で発展したビハール州第2の都市ガヤ。古代インドの先進地にあたったガンジス河中流域の古い街で、北、西、南の3つの方角を丘陵（山）、残りのひとつを川（ファルグ川）に囲まれた風水上優れた地形をもち、古くはアーリア文明の中心地のひとつであった。もともと出家したシッダールタがガヤの近く（ブッダガヤ）で修行していたのは、ガヤ一帯が宗教者の集まる場所だったことによる（のちに仏教に改宗するカッサパ三兄弟もこの地を拠点としていた）。そしてアーリア人と非アーリア人（インド原住民）の信仰の融合がガヤで行なわれ、仏教やジャイナ教などがこの地で生まれたことが特筆される。そして、仏教など出家者たちの新宗教に対抗するかたちで、ヒンドゥー教は祖先崇拝を教義の中心におき、10世紀にはガヤでも仏教に対してヒンドゥー教が優勢になっていた。その象徴的な場所が、かつての仏足が「ヴィシュヌ神の足あと」へと変化した、ガヤ旧市街のヴィシュヌ・パド寺院だった。叙事詩『ラーマーヤナ』のラーマもガヤで先祖供養を行なったと言われ、ガヤは「祖霊をまつる地」として、9～12世紀ごろにはバラナシとならぶ宗教聖地だったという（バラナシ、アラハバードとともに三大

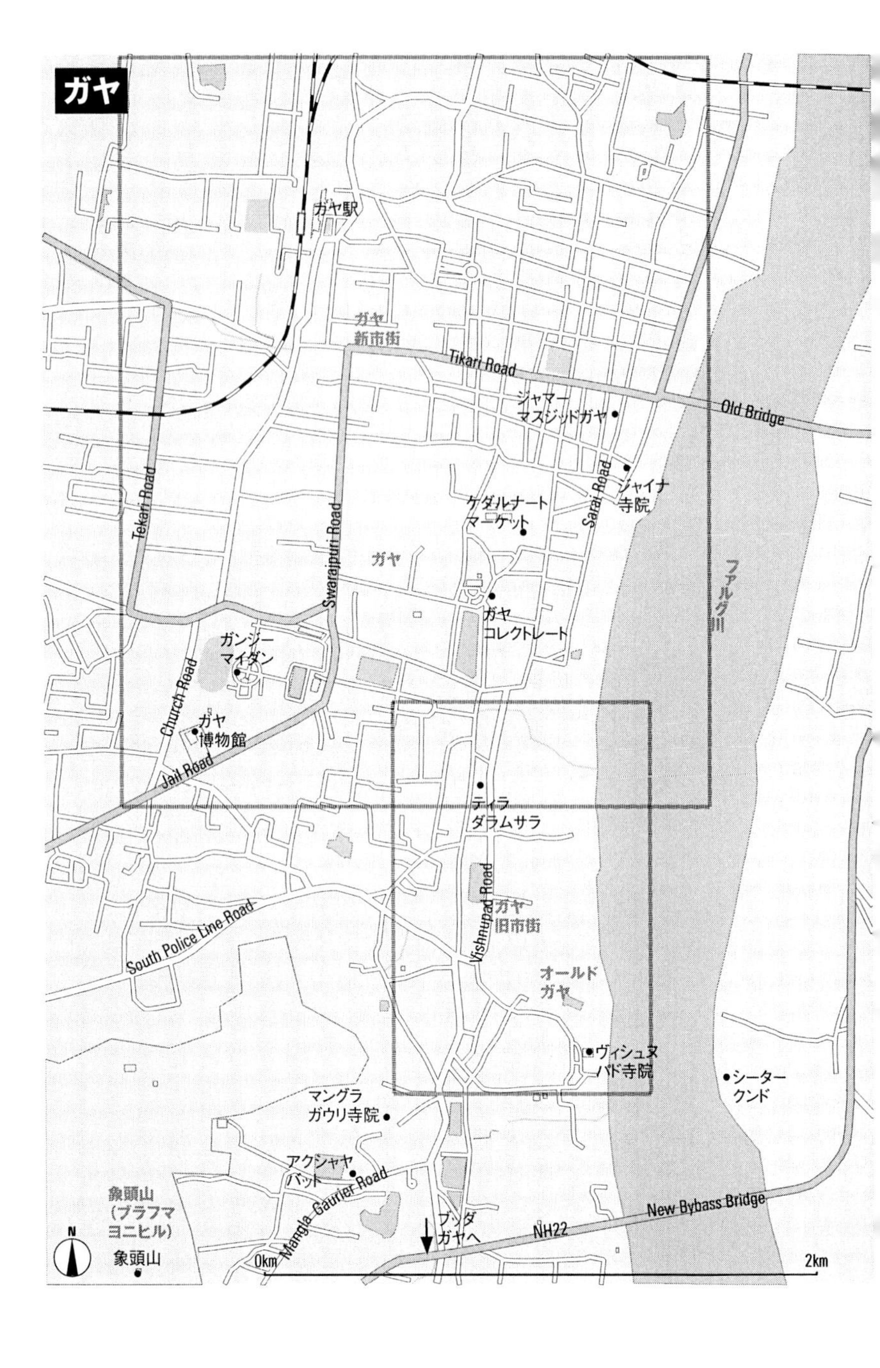
ガヤ
ガヤ駅
ガヤ
新市街
Tikari Road
Old Bridge
ジャマー
マスジッドガヤ
ジャイナ
寺院
Sarai Road
ケダルナート
マーケット
Tekari Road
Swarajpuri Road
ガヤ
ファルグ川
ガヤ
コレクトレート
ガンジー
マイダン
Church Road
ガヤ
博物館
Jail Road
ティラ
ダラムサラ
Vishnupad Road
ガヤ
旧市街
South Police Line Road
オールド
ガヤ
ヴィシュヌ
パド寺院
シーター
クンド
マングラ
ガウリ寺院
アクシャヤ
バット
Mangla Gaurier Road
象頭山
（ブラフマ
ヨニヒル）
象頭山
N
ブッダ
ガヤへ
NH22
New Bybass Bridge
0km
2km

祖霊地）。ヴィシュヌ・パド寺院の位置する南側の旧市街とは別に、イギリス統治時代に整備された新市街サーヒブ・ガンジがあり、米や小麦、さとうきびなどが集散され、軽工業がさかんな街となっている。ジャールカンド州から続くチョタナーグプル丘陵の北麓に位置し、ブッダガヤと区別してブラフマ・ガヤと呼ばれることもある。

街名になった悪魔ガヤ

ガヤという名称は、ヴィシュヌ神によって倒された阿修羅（悪魔）のガヤ（ガヤースラ）に由来するという。昔むかし、ここにはガヤという名の悪魔がいて、3000年間苦行を続けたことで、神々をしのぐ力を身につけた。するとガヤを恐れた神々はその身を捧げるよう求め、ガヤは自分の身体を浄めてくれるなら、（その求めに）応じると答えた。プレズヒラ・ヒルの頂上にガヤの身をしばり、ブラフマー神は地獄からもってきた石を載せてガヤを固定し、神々はそのうえに乗った。しかし、不死化したガヤの動きはとまらず、最後にヴィシュヌ神が足でガヤを踏むと、悪魔ガ

★★☆
ガヤ *Gaya*
ヴィシュヌ・パド寺院 *Vishnupadh Mandir*

★☆☆
オールド・ガヤ *Andar Gaya*
ファルグ川 *Falgu River*
シーター・クンド *Sita Kund*
マングラ・ガウリ寺院 *Mangla Gauri Mandir*
アクシャヤ・ヴァット（アシュヴァッタ樹・菩提樹） *Akshya Vat*
象頭山（ブラフマヨニ・ヒル） *Brahmayoni Hill*
ガヤ新市街 *Sahebganj*
ティラ・ダラムサラ *Tilha Dharamsala*
ガヤ・コレクトレート（ガヤ地区委員会） *Gaya Collectorate*
ケダルナート・マーケット *Kedarnath Market*
ジャマー・マスジッド・ガヤ *Jama Masjid Gaya*
ジャイナ寺院 *Jain Mandir*
ガヤ・ジャンクション鉄道駅 *Gaya Junction Railway Station*
ガンジー・マイダン *Gandhi Maidan*
ガヤ博物館 *Gaya Museum*

ヤは昇天し、この街にそびえるいくつもの山(丘陵)の姿になった。そしてガヤの最後の願いは、自分の名前を街名として残すことだった。こうして、「ガヤの身体(と街を見立てている)」で祖先を供養すれば、どんな人も天界へ行くことができるようになったという。またこの説とは別に、この地方に君臨した古代のガヤスーラ王にちなむという説もある。史実では、ガヤという名称は『ヴェーダ』時代には言及されておらず、キカタという街名で呼ばれていた。その後、『ヴァーユ・プラーナ』に言及されて以降、『ラーマーヤナ』や『マハーバーラタ』でも知られるようになり、『マハーバーラタ』はこの街をガヤプリと呼び、『プラーナ』ではブラフマ・ガヤーやブラフマ・プリと呼ぶ。また時代はくだったムガル帝国時代には「アラムギールプル(世界の征服者第6代アウラングゼーブ帝の街)」とも呼ばれていた。

ガヤは祖霊の聖地

紀元前1500〜前1000年ごろにかけて、アーリア人は中央アジアから北西インド、ガンジス河中流域へと進出していった。彼らは雷の神インドラや火の神アグニといった万物に神が宿る『ヴェーダ』の宗教(バラモン教)を信仰していて、原住民を支配していく過程で、ラーマ王子が北インドから南インドへ進軍する『ラーマーヤナ』のような物語(神話)も生まれた。そしてアーリア人と非アーリア人が混血していくなかで、紀元前6世紀ごろ、従来のバラモン教に対抗するかたちで仏教やジャイナ教(六師外道)などの新宗教が生まれた。新宗教はいずれも最高神やバラモンの儀礼を否定し、出家して修行することに重点をおいたことを特徴とする。一方で、従来のバラモン教の側は、祖先崇拝をその信仰体系に加えるなどして、新宗教に対抗した。古代インドの原住民のあいだでは、アニミズムやさまざまな霊が信仰されていたが、その祖霊崇拝(見えない霊魂への崇拝）がガヤを聖地とする信仰体系へと消化された。こうした祖先崇拝の経典が現れるのは仏教誕生と同じ紀元前6世紀ごろだと言われ、ちょうどバラモン教からヒンドゥー教への移行期と重なっていた（双方がガヤとブッダガヤという同じ地域でしのぎをけずっていた）。ヒンドゥー教では亡き先祖を供養するピトリ・パクシャ（祖霊の半月）と、故人の命日に、祖霊を祭場に呼ぶ。そして塗香、花、灯明、供物などを捧げるプージャをしてから、ピンダという団子を捧げて、再び祖霊を住居に返す。ちょうど日本のお盆にあたる行事で、ガヤはバラナシ、アラハバード（ともにウッタル・プラデーシュ州）とならぶ三大祖霊地とされる。ヒンドゥー暦アーシュヴィナ月（9月ごろ）にはインド中から巡礼者が集まり、人びとはまずファルグ河岸のガートで沐浴し、その後、旧市街のヴィシュヌ・パド寺院に巡礼して、先祖を供養する。ガヤで一度供養すれば、先祖代々の罪も浄められ、その後は供養しなくてもよいという。

ガヤの構成

北のラムシラ・ヒル、西のプレズヒラ・ヒル、南のブラフマヨニ・ヒルという3つの丘陵、東のファルグ川というように周囲を自然に囲まれたガヤ。この街は大きくわけて、ヒンドゥー聖地である南側の旧市街オールド・ガヤ（アンダル・ガヤ）と、イギリス統治時代に建てられた北側の新市街サーヒブ・ガンジからなる。オールド・ガヤはガヤ発祥地であり、ヴィシュヌ・パド寺院を中心としたヒンドゥー寺院、ファルグ川岸辺のガートがならび、歴史的ガヤを形成する。またブッダが苦行したという象頭山ことブラフマヨニ・ヒルも南郊外にそびえる。一方、イギリス統治時代の1785年、トーマス・ローによってオールド・ガヤに隣接した北側に、新市街サーヒブ・ガンジが築かれ、行政庁舎や鉄道駅をふくむより整然とした街区が広がる（こうした構造は、オールド・デリーに対するニュー・デリーでも見られた)。両者の中間西側にはガンジー・マイダン公園があり、キリスト教会や博物館などが立っている。丘陵や川など豊かな景観をもつガヤは、神話ではヴィシュヌ神が悪魔ガヤ(ガヤースラ)を踏みつけて殺し、ガヤの身体がこの街各地の丘陵へと変化したものだという。またファルグ川はヴィシュヌ神そのものだと考えられている。そのため、ガヤの街全体が聖域の巡礼路のようになっていて、祖霊祭のときファルグ川から丘陵、聖なる木へと進んで儀式を捧げていく。

Andar Gaya

ガヤ旧市街城市案内

**悪魔ガヤさえ浄められたという街
ラーマやブッダという神格は
いずれもヴィシュヌの化身と見られている**

オールド・ガヤ ★☆☆

Andar Gaya ㋪पुरानी गया／㋒پرانی گیا

ガンジス河中流域、北、西、南の三方を丘陵に囲まれ、東側をファルグ川に接するという風水上優れた場所に開けた街ガヤ。ヒンドゥー教の聖地、ブッダゆかりの地といった性格をもつ市街南部の歴史的ガヤをオールド・ガヤ、またはアンダル・ガヤと呼ぶ。この街の歴史は古く、『ラーマーヤナ』のラーマやシーターが父ダシャラタの祖霊祭を行なったと伝えられ、紀元前6世紀のブッダの時代は、火（火神アグニ）を信仰するカッサパ三兄弟の拝火教の教団（ジャティラ）が拠点をおいていた。そして、ブッダはこの修行者たちの街ガヤから少し離れたブッダガヤで悟りを開いている。ブッダガヤを巡礼した中国僧もその途上にガヤに立ち寄っていて、5世紀の法顕は「城内は荒れ果てている」と記し、7世紀の玄奘は「住民は少なく、ただバラモンだけが1000余軒いる」と記している。かつて仏教の栄えたガヤも、10世紀にはヒンドゥー教の勢力が勝り、この聖地で祭祀を行なうガヤワリ（ガヤの住民）という名のバラモン（カースト）が今も暮らしている（彼らは聖域オールド・ガヤで菜食を守りながら、入浴して身を浄めるなど、信仰のなかで生活している）。ガヤワリの管理するヴィシュヌ神をまつったヴィシュヌ・パド寺院を中心に迷路のように路地がめぐり、

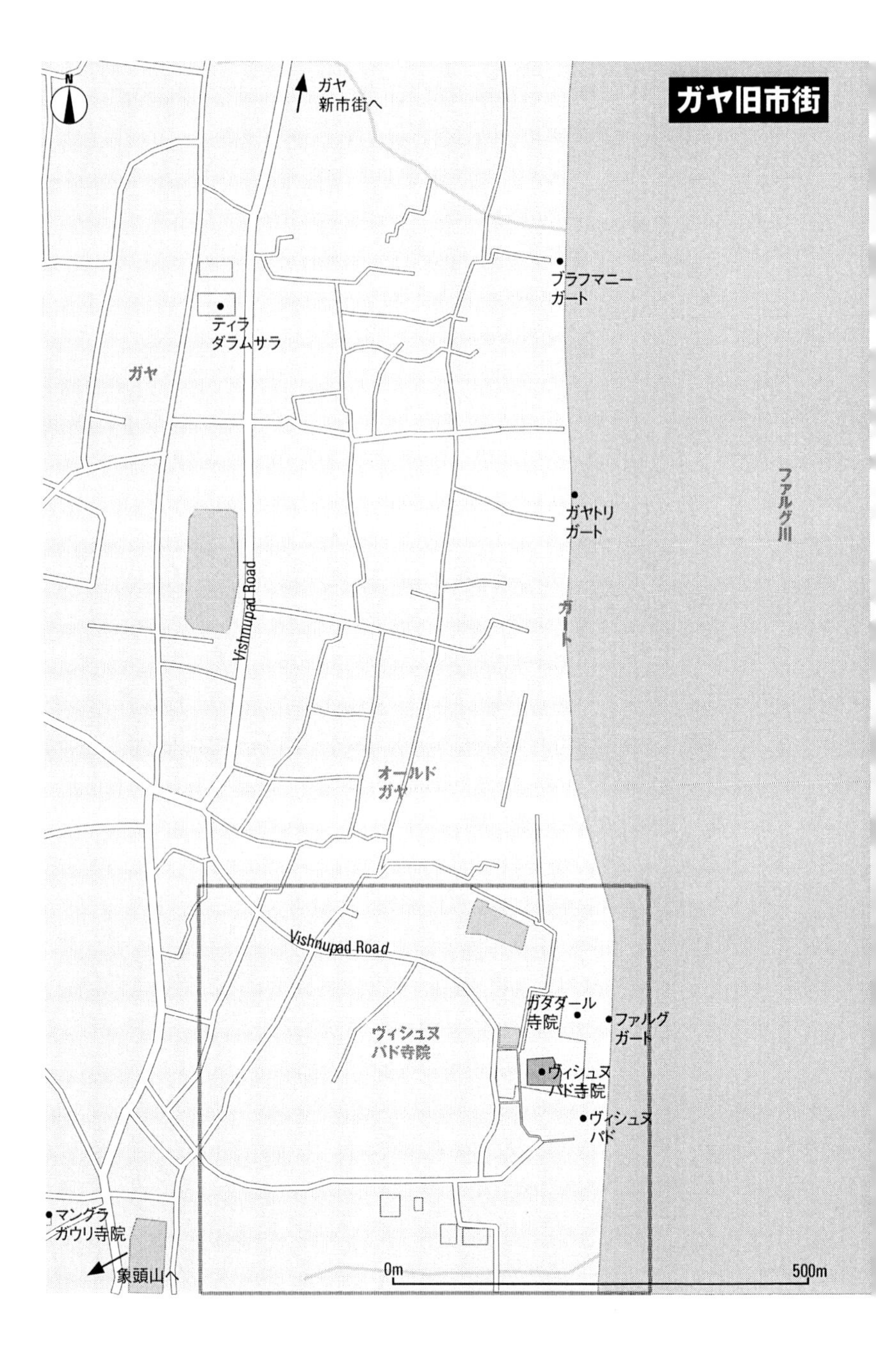

ガヤ旧市街
N
ガヤ
新市街へ
ブラフマニー
ガート
ティラ
ダラムサラ
ガヤ
Vishnupad Road
ガヤトリ
ガート
ファルグ川
ガート
オールド
ガヤ
Vishnupad Road
ガダダール
寺院
ファルグ
ガート
ヴィシュヌ
パド寺院
ヴィシュヌ
パド寺院
ヴィシュヌ
パド
マングラ
ガウリ寺院
象頭山へ
0m
500m

ファルグ川の岸辺にレンガと石の2～3階建ての古い街並みが続く。

ファルグ川 ★☆☆

Falgu River ㋪ फल्गु नदी ㋒ دریائے فالگو

　ビハール州南のチョタナーグプル丘陵から北流して、ガヤへいたり、そこからパトナの東でガンジス河に合流するファルグ川。ブッダの時代はネーランジャラー河と呼ばれ、ブッダガヤを過ぎたところで、ファルグ川（ネーランジャラー河）とモハナ川が合流する（ビハール南部、ガヤの西を流れるソン川などとともに北流する）。ある聖典では「ガンジス河よりも神聖である」といい、この流れはヴィシュヌ神そのものであるとも考えられている。河岸にはヴィシュヌ・パド寺院や『ラーマーヤナ』ゆかりのシーター・クンドが位置し、ガヤに到着した巡礼者はまずファルグ川で沐浴し、祖霊の供養を行なう。雨季には洪水になるが、乾季にはあまり水がなく、砂地のなかを小流がうねるように流れていく。それは祖霊の供養がうまくできなかったシーター姫の呪いによるもので、川の下を水が流れているという。

ヴィシュヌ・パド寺院 ★★☆

Vishnupadh Mandir ㋪ विष्णुपद मंदिर ㋒ وشنوپاد مندر

　シヴァ派とならぶヒンドゥー教二大宗派のヴィシュヌ派で、もっとも重要な寺院のひとつのヴィシュヌ・パド寺

★★☆

ガヤ *Gaya*
ヴィシュヌ・パド寺院 *Vishnupadh Mandir*

★☆☆

オールド・ガヤ *Andar Gaya*
ファルグ川 *Falgu River*
ヴィシュヌ・パド（ヴィシュヌ神の足あと） *Vishnupadh*
ファルグ・ガート *Falgu Ghat*
ガダダール寺院 *Gadadhar Mandir*
マングラ・ガウリ寺院 *Mangla Gauri Mandir*
ティラ・ダラムサラ *Tilha Dharamsala*

院。オールド・ガヤは父なるヴィシュヌ神をまつるファルグ川岸辺のこの寺院を中心に広がり、生涯に一度は訪れるべき聖地だと考えられている。ヴィシュヌ・パドとは「ヴィシュヌ神の足あと」を意味し、古くは「ブッダの足あと」であったと考えられる。もともと仏教寺院があったが、ヒンドゥー教が興隆した2～4世紀ごろにヒンドゥー教ヴィシュヌ派の寺院になった（ヒンドゥー教がブッダをヴィシュヌ神の第9の化身としてとりこんだ）。寺院内に残るヴィシュヌ神の足あとの下には、悪魔ガヤがいて、「悪魔に対するヴィシュヌの勝利」と「ヒンドゥー教の仏教に対する勝利」を象徴する寺院でもあった。現在のヴィシュヌ・パド寺院は、1787年にインドール（マディヤ・プラデーシュ州）の王妃アヒリヤ・バーイー（1766年～93年）によって建てられたもので、ジャイプル職人が建設をになった。堅固な灰色の花崗岩製の寺院建築で、円形ドーム状の前殿とシカラ屋根をもつその背後の本殿からなる。この寺院はブッダやジャイナ教の開祖マハーヴィラもまつる複合寺院だが、異教徒は立ちいることができない。

ヴィシュヌ・パド（ヴィシュヌ神の足あと） ★☆☆

Vishnupadh／Ⓗ विष्णुपद　Ⓤ وشنوپاد

「ヴィシュヌ神の足あと（パダ）」という意味で、40cmほどの凹みが残るヴィシュヌ・パド。ヴィシュヌ神が悪魔ガヤをふみつけた足あとだとされ、この足あとの下（街の下）に悪魔ガヤがいると考えられている。もともとはブッダの足あとだったとされ、仏足信仰のひとつだったが、仏教がヒンドゥー教にとりこまれたため、ブッダの足あとはヴィシュヌ神の足あとだと見られるようになった（ブッダは自らの姿を偶像にすることを禁じ、しばらくのあいだブッダの姿は、法輪や菩提樹、足あとで象徴的に表現された）。多くの巡礼者がこのヴィシュヌ・パドに訪れる。

幹線がガヤと南10kmのブッダガヤを結ぶ

ガヤはヴィシュヌ神の守護する街

さまざまな化身の姿で現れることを特徴とする

ガヤ近郊にはごつごつとした岩山がそびえる

悪魔が討伐されたという神話は各地に残る

仏教とヴィシュヌ・パド寺院

わずか10kmの距離に、ヒンドゥー聖地のガヤ(ブラフマ・ガヤ)とブッダが悟りを開いた仏教聖地のブッダガヤがならんでいる。仏教は、紀元前6世紀ごろ、バラモン教(ヒンドゥー教)に対する新たな思想として登場し、最高神やバラモンの儀礼を否定し、自ら出家して修行することで解脱できるとした(たとえばガヤの霊場で水浴するのは功徳のあることではないとされた)。この新たな宗教である仏教は、いっときインド全域に広がりを見せたが、やがてインド人の生活や社会と密接に関係したヒンドゥー教の勢力におされ、グプタ朝時代の550年ごろには「ブッダはヴィシュヌ神の化身である」と考えられた。もともとヴィシュヌ・パド寺院の足あとは仏足であったが、その後、この足あとはヴィシュヌ神の足あとだとされ、10世紀ごろにはガヤの街もヒンドゥー教が支配的になった。ヴィシュヌ・パド寺院には菩提樹が立ち、ブッダが悟りを開いたのは、実はこちらであるとも信じられている。

ファルグ・ガート ★☆☆

Falgu Ghat ㋪ फल्गु घाट／㋒ فالگو گھاٹ

ヴィシュヌ・パド寺院の背後に位置するファルグ・ガート。雨季以外ほとんど川が枯れ、小流の水が流れるのみとなっている。ガヤの祭祀にあたって、人びとはまずファルグ河岸のガートで沐浴し、その後、旧市街のヴィシュヌ・パド寺院に巡礼して、先祖を供養する。ガヤにはこのファルグ・ガートのほか、ガヤトリ・ガート、ブラフマニ・ガートなどが河畔にならび、火葬のための火が燃えている。

ガダダール寺院 ★☆☆

Gadadhar Mandir ㋪ गदाधर मंदिर ㋒ گدادھر مندر

ヴィシュヌ・パド寺院のそばに残るこぢんまりとした

シヴァ神とサティー、マングラ・ガウリ寺院にまつられた神格

ガヤは『ラーマーヤナ』ゆかりの地でもある

乳海の攪拌を行なうヴィシュヌ神の画

ガダダール寺院。ガダダールとはガヤでのヴィシュヌ神の名前で、工芸の神ヴィシュヴァ・カルマは悪魔ガダの骨で武器をつくり、ヴィシュヌ神はそのガダを使ってホットラという別の悪魔を倒した。それ以来、ヴィシュヌはガダダーラという名前でも呼ばれ、悪魔を殺したあとの血に染まったガダはヴィシュヌ神によって浄められた。近くにはガダダール・ガートが残っている。

シーター・クンド ★☆☆

Sita Kund／Ⓗ सीता कुंड／Ⓤ سیتا کنڈ

ヴィシュヌ・パド寺院の対岸、ファルグ川の東岸に位置する『ラーマーヤナ』ゆかりのシーター・クンド。「シーターの泉」を意味し、シーター姫がアヨーディヤーの王子ラーマ、ラクシュマナとともに14年間の亡命をする前に沐浴した場所だとされ、またここで義父ダシャラタの祖霊祭を行なったと伝えられる。ラーマが祭祀の準備に出かけ、シーターがここで待っていると、ダシャラタの霊が現れ、捧げものを求めてきた。何ももっていなかったシーターは、米の代わりにあわてて川岸の砂でつくったピンダ（団子）を捧げ、牛や火、ファルグ川、木などを証人とした。そこへラーマが帰ってくると、証人たちは「（シーターは儀式をしたという）嘘をついた」と口にした。怒ったシーターはファルグ川をふくむ全員を呪い、こうして川は地下を流れるようになった（ファルグ川が雨季にのみ流れるのはこのシーターの呪いによるものだという）。この地は「ラーマのガヤ」ことラムガヤ・ヒルともいい、ラーマやハヌマン、シーター、ドゥルガー女神をまつる寺院が立つ。

マングラ・ガウリ寺院 ★☆☆

Mangla Gauri Mandir／Ⓗ माँ मंगला गौरी मंदिर　Ⓤ منگلا گوری مندر

シヴァ神の最初の妻サティーをまつるヒンドゥー教シャクティ派のマングラ・ガウリ寺院。夫の名誉を守る

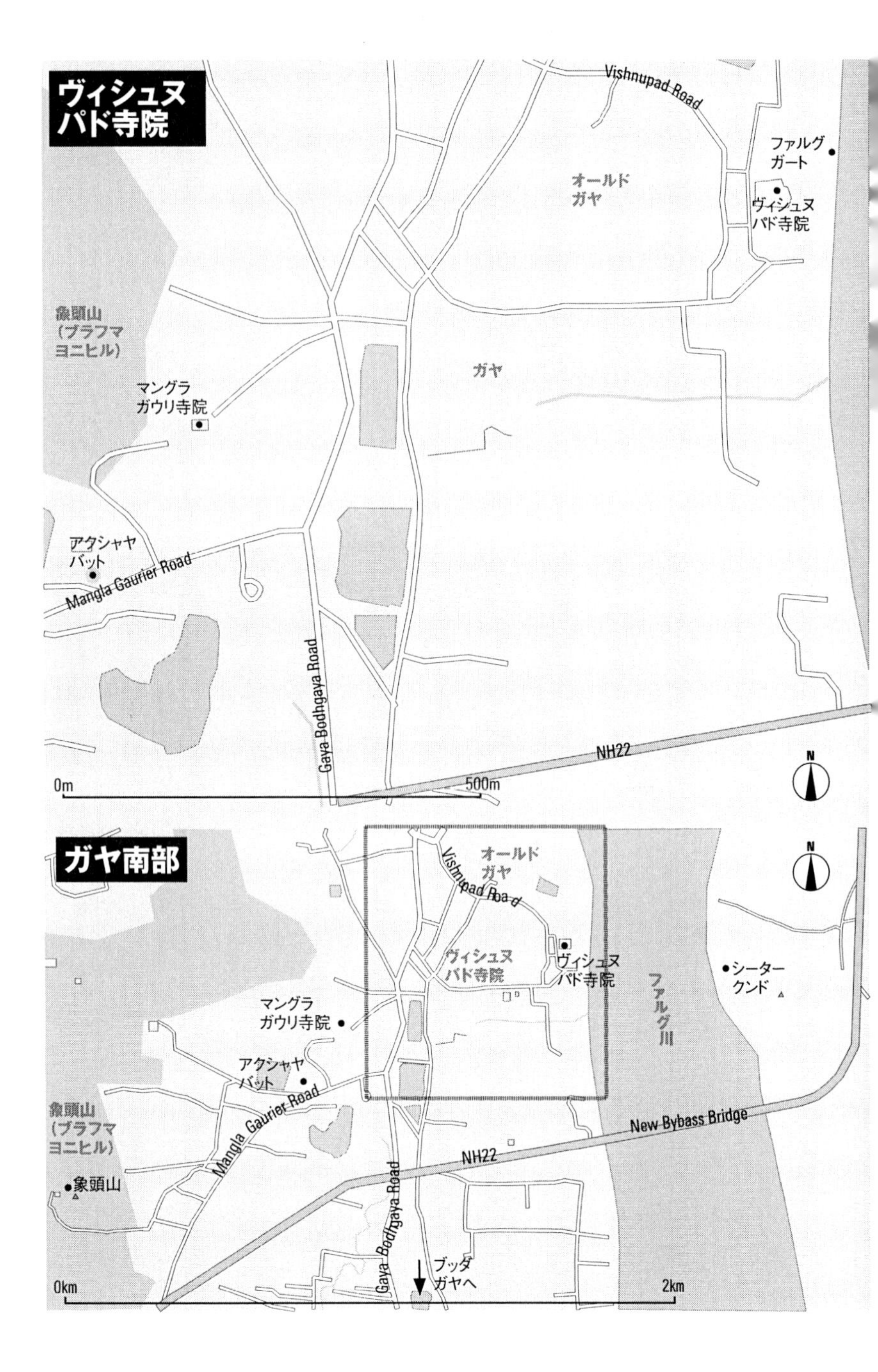
ヴィシュヌパド寺院
Vishnupad Road
ファルグガート
オールドガヤ
ヴィシュヌパド寺院
象頭山（ブラフマヨニヒル）
ガヤ
マングラガウリ寺院
アクシャヤバット
Mangla Gaurier Road
Gaya Bodhgaya Road
NH22
0m
500m
N
ガヤ南部
オールドガヤ
Vishnupad Road
ヴィシュヌパド寺院
ヴィシュヌパド寺院
ファルグ川
シータークンド
マングラガウリ寺院
アクシャヤバット
Mangla Gaurier Road
象頭山（ブラフマヨニヒル）
象頭山
New Bybass Bridge
NH22
Gaya Bodhgaya Road
ブッダガヤへ
0km
2km
N

ため、死を選んだサティーを前にして、シヴァ神はとり乱し、ヴィシュヌ神はサティーの身体を51に切り刻んだ。ガヤ南側のマングラ・ガウリ・ヒルの頂上は、サティーの身体の一部(胸)が地上に落ちた場所のひとつで、マングラ・ガウリ寺院は15世紀に建てられた。寺院敷地内部に、切妻屋根状の簡素なガウリ(シャクティ・ピース)をまつる祠堂が立ち、女性の生命を生み出す力や大地母神への信仰が見られる。モンスーン月の毎週火曜日、女性は自分たちの家族が繁栄し、夫が成功するように祈ってここで断食するという。近くには『マハーバーラタ』に登場する5人のパーンダヴァ兄弟のひとりビーマをまつる寺院も立ち、あたりはビーマ・ガヤとも呼ばれる。

アクシャヤ・ヴァット(菩提樹) ★☆☆

Akshya Vat　㊥ अक्षय वट／㋒ اکشے وٹ

「世界でもっとも古い木」だと考えられているバニヤン樹のアクシャヤ・ヴァット(不死の木)。ある伝説ではヴィシュヌ神が地上に洪水を起こし、あらゆるものが水没したが、この木だけはまぬがれたという。また『ラーマーヤナ』のシーターはこの木に不死の恵みをあたえたことから、いつの季節でも葉を落とさなくなり、樹木崇拝の対象となった(この木のもとにラーマが眠っているという)。ジャイナ教ティールタンカラのリシャバがアクシャヤ・ヴァットの下で瞑想したとも伝えられ、ジャイナ教徒からも信仰を

★★☆
ガヤ *Gaya*
ヴィシュヌ・パド寺院 *Vishnupadh Mandir*

★☆☆
シーター・クンド *Sita Kund*
マングラ・ガウリ寺院 *Mangla Gauri Mandir*
アクシャヤ・ヴァット(アシュヴァッタ樹・菩提樹) *Akshya Vat*
象頭山(ブラフマヨニ・ヒル) *Brahmayoni Hill*
オールド・ガヤ *Andar Gaya*
ファルグ川 *Falgu River*
ファルグ・ガート *Falgu Ghat*

受けている。ガヤの祖霊祭ではファルグ川で沐浴して身を浄めたあと、ヴィシュヌ・パド寺院に巡礼し、その後、このアクシャヤ・ヴァットを訪れて、ピンダ(団子)を捧げていく。バラモンや巡礼者が訪れたという10世紀の碑文も残る。

象頭山(ブラフマヨニ・ヒル) ★☆☆

Brahmayoni Hill　㋪ब्रह्मयोनी पहाड़ी　㋒برہمایونی پہاڑی

ガヤ市街の南郊外にそびえる高さ137mほどのこの丘陵は、かつて象頭山やガヤ山(ガヤー・シーサ)の名で知られ、現在はブラフマヨニ・ヒルと呼ばれている。紀元前6世紀のブッダの生きた時代から霊性があると信じられ、火への信仰をもつカッサパの三兄弟はじめ、多くの出家者や苦行者がこの山に集まっていた。また出家したシッダールタが悟りを開く前の6年間、苦行を行なった場所だとされ、「山頂において、一樹の下にあって草を敷いて、坐し、思惟を作した」ほか、断食したり、一粒のごまや米で過ごしたり、息をとめるといった修行を試みたという(そうして、骨と皮だけになったシッダールタは、苦行をやめ、この山を降り、乳粥を受けてからネーランジャラー河で沐浴して身を浄め、悟りを開いた)。悟りを開いたのち、サールナート(バラナシ)から戻ってきたブッダは、ここ象頭山(ブラフマヨニ・ヒル)で、カッサパの三兄弟の長兄を説き伏せて、500人の弟子とともに仏門に入り、その後、ふたりの弟もブッダにしたがった。山頂へ石の階段が伸び、昔から王は天下を統一すると、この山に登って即位を天に報告したと伝えられるほか、ブッダの弟子デーヴァダッタが離反して立てこもった場所でもある。草木のほとんど生えない岩山で、頂上にはサヴィトリ女神、ガヤトリ女神、サラスワティー女神をまつる1633年創建のヒンドゥー寺院が立つ。

なぜ象頭山というのか

古くは伽耶山（ガヤ山）と呼ばれたこの山を、象が鼻を伸ばしてひざまづいた姿から、仏教徒は象頭山と呼んでいた。ガヤ（gaya）という音は、マガダ国で使われていたサンスクリット語では「y」が「j」となり、「gaya」が「gaja」と変化し、ガジャはサンスクリット語で「象」を意味したことでそうなったと考えられている（山の姿が象の頭に似ているからという名称は、のちにこじつけられた）。玄奘三蔵は、『大唐西域記』のなかでガヤ、この象頭山（ブラフマヨニ・ヒル）から、ネーランジャラー河、前正覚山、ブッダガヤへいたる道のりを記している。

カッサパ三兄弟（三迦葉）の帰依

ブッダの生きた紀元前6世紀ごろのガヤで、もっとも力をもっていた聖者は、火への信仰（拝火教、火神アグニ）をもつ教団ジャティラをひきいるカッサパ三兄弟で、象頭山（ブラフマヨニ・ヒル）にはカッサパの生まれた村があった。カッサパ三兄弟は、ウルヴェーラ・カッサパ（ウルヴェーラに住むカッサパ）を長とし、ナディー・カッサパ（ネーランジャラー河に住むカッサパ）、ガヤー・カッサパ（ガヤ山＝象頭山に住むカッサパ）の3人を指す。バラモン教を形成するアーリア人が信仰対象とした拝火教は、古代インドのほか、祖先を同じくするイランのゾロアスター教でも見られた。この拝火教徒に対して、悟りを開き、サールナートから戻ってきたブッダは、神通力を発揮して「あらゆるものは燃えている、燃えているとはどういうことか」という言葉とともにウルヴェーラ・カッサパに仏法を説いた。そして、ここ象頭山でブッダに宗教的に打ち負かされた長兄ウルヴェーラ・カッサパに続いて、弟たちも仏教に帰依した。カッサパ三兄弟の帰依は、仏教がマガダ国に広がるきっかけになった。

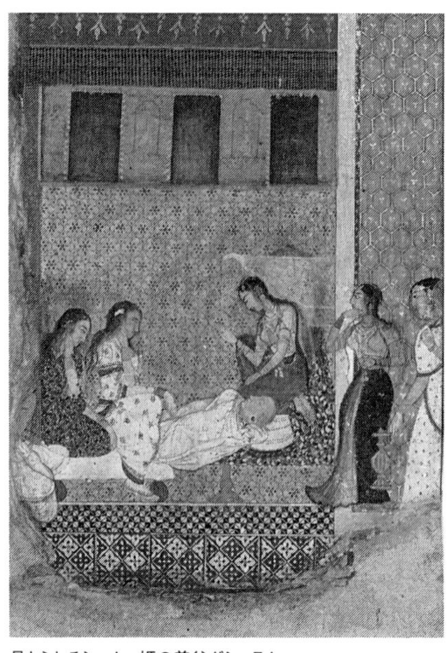

見とられるシーター姫の義父ダシャラタ

インドで人気のおやつジャレビー

ブッダは象頭山（ブラフマヨニ・ヒル）で苦行を行なったという

ガヤとブッダガヤではヒンディー語が話されている

भगतसेना

Sahebganj

ガヤ新市街城市案内

ブッダガヤへの玄関口にもなっているガヤ駅
歴史的ガヤのオールド・ガヤの北側にあり
双子都市を形成する新市街のサーヒブ・ガンジ

ガヤ新市街 ★☆☆

Sahebganj／㋪ साहेबगंज／㋒ صاحب گنج

1785年、イギリス東インド会社のトーマス・ローによって、オールド・ガヤの北側につくられたガヤ新市街(サーヒブ・ガンジ)。1757年のプラッシーの戦い、1764年のバクサルの戦いで、ムガル帝国軍を破ったイギリスは、ビハールを勢力下においた。ビハール州南部の統治拠点となる新ガヤは、オールド・ガヤと北のラムシラ・ヒルのあいだにつくられ、当初、イラハバード、のちにサーヒブ・ガンジと呼ばれた。宗教的な聖地のオールド・ガヤ(アンダル・ガヤ)に対して、こちらはイギリス人が暮らすもうひとつのガヤであった。新市街南西にマイダン(閲兵場)があり、その東側に行政庁舎、裁判所、警察、郵便局、病院、公共図書館などがならび、街の北西側に鉄道駅がおかれた。ファルグ川にかかる橋は、街への入口と経済の中心地で、サライ・ロード、ジャマー・マスジッド、ヒンドゥー女神をまつるドゥカハルニ寺院、アザド・パークなどが集まっていた。現在はオールド・ガヤとひとつながりになっているが、ガヤ新市街は整然とした区画をもち、ビハール州を代表する貿易とビジネスの中心地でもある。

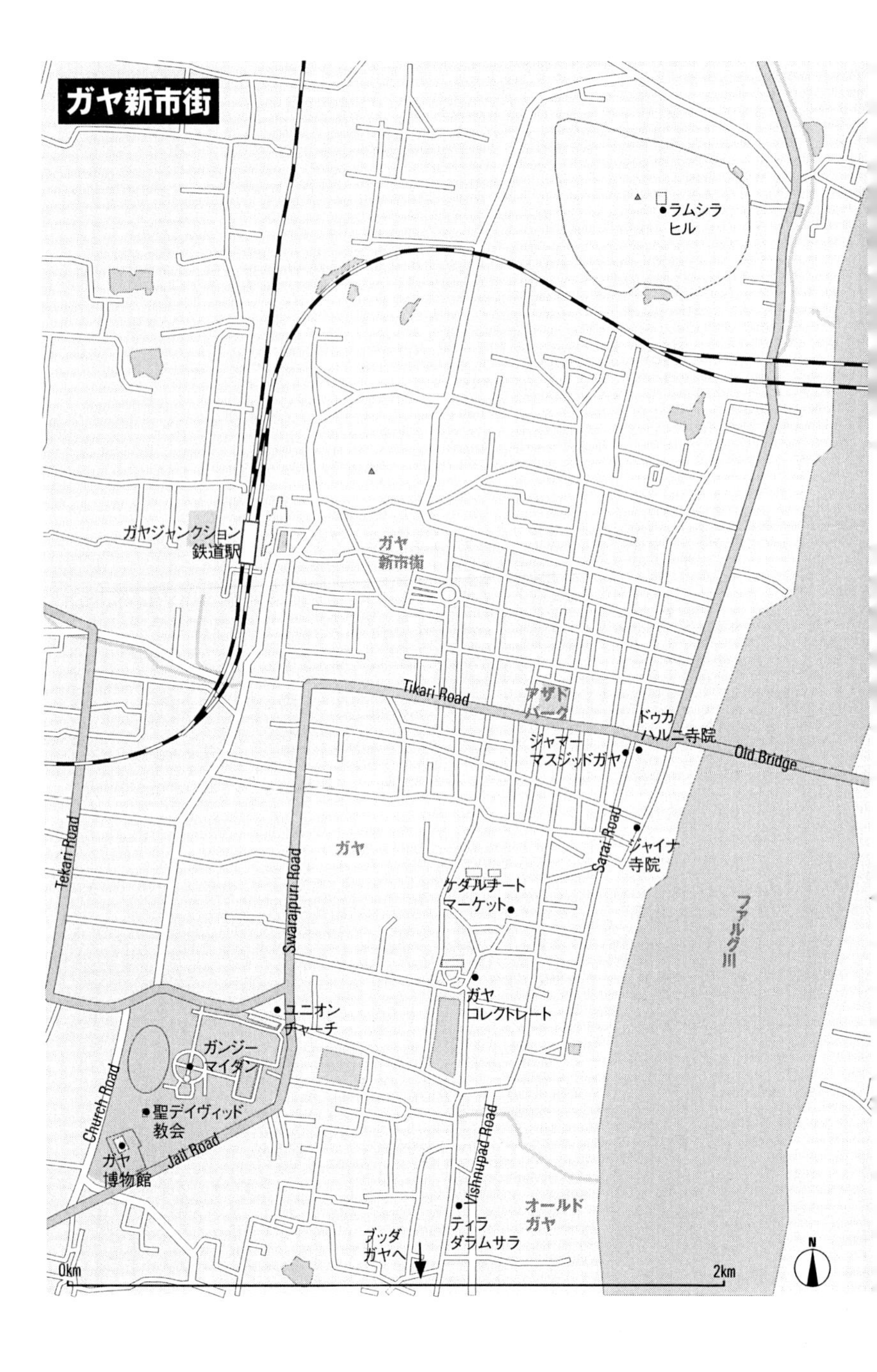
ガヤ新市街
ラムシラ
ヒル
ガヤジャンクション
鉄道駅
ガヤ
新市街
Tikari Road
アザド
パーク
ドゥカ
ハルニ寺院
ジャマー
マスジッドガヤ
Old Bridge
Tekari Road
Swarajpuri Road
ガヤ
Sarai Road
ジャイナ
寺院
ケダルナート
マーケット
ファルグ川
ガヤ
コレクトレート
ユニオン
チャーチ
ガンジー
マイダン
聖デイヴィッド
教会
Church Road
Jail Road
ガヤ
博物館
Vishnupad Road
オールド
ガヤ
ティラ
ダラムサラ
ブッダ
ガヤへ
0km
2km
N

ティラ・ダラムサラ ★☆☆

Tilha Dharamsala／ⓗ तिल्हा धर्मशाला／ⓤ تلہا دھرم شالہ

イギリス統治時代の20世紀初頭に建てられた迎賓館を前身とするティラ・ダラムサラ。ラジャスタン様式の彫刻がほどこされたファザードをもつ2階建ての建物で、美しい中庭も見える。このティラ・ダラムサラの立つビサラ・タラバ地区あたりは、かつてイギリス人が多く暮らしていた。

ガヤ・コレクトレート（ガヤ地区委員会） ★☆☆

Gaya Collectorate　ⓗ गया समाहरणालय　ⓤ گیا کولیکٹوریٹ

ガヤは1764年のバクサルの戦いでイギリス領となり、1785年に新市街サーヒブ・ガンジの建設にあわせて、ガヤ・コレクトレート（ガヤ地区委員会）も設立された。1865年からこの地区の本部となり、平屋のこの赤い建物は1891年に建てられた。都市開発、法や税などを担当する、市庁舎の役割を果たしてきた。近くには同じく赤色の外観をもつ裁判所なども残っている。

★★☆
ガヤ *Gaya*

★☆☆
ガヤ新市街 *Sahebganj*
ティラ・ダラムサラ *Tilha Dharamsala*
ガヤ・コレクトレート（ガヤ地区委員会） *Gaya Collectorate*
ケダルナート・マーケット *Kedarnath Market*
ジャマー・マスジッド・ガヤ *Jama Masjid Gaya*
ジャイナ寺院 *Jain Mandir*
ガヤ・ジャンクション鉄道駅 *Gaya Junction Railway Station*
ガンジー・マイダン *Gandhi Maidan*
ガヤ博物館 *Gaya Museum*
聖デイヴィッド教会 *Baptist Union Church*
ラムシラ・ヒル *Ramshila Hill*
オールド・ガヤ *Andar Gaya*
ファルグ川 *Falgu River*

ラムシラ・ヒルでラーマが祖霊供養を行なった（『ラーマーヤナ』の一場面）

州公用語のヒンディー語と準公用語のウルドゥー語の併記

ヴィシュヌ神第3の化身ヴァラーハはイノシシの姿

シヴァ神とならぶ最高神のヴィシュヌ神像

ケダルナート・マーケット ★☆☆

Kedarnath Market／㋪केदारनाथ मार्केट／㋒کیدارناتھ مارکیٹ

果物と野菜を売るガヤの卸売市場ケダルナート・マーケット。多くの店舗が集まり、近隣の農村で収穫された果物や野菜がならぶ。

ジャマー・マスジッド・ガヤ ★☆☆

Jama Masjid Gaya／㋪जामा मस्जिद गया　㋒جامع مسجد گایا

イスラム教徒が集団礼拝に訪れ、1890～98年に建てられたガヤのジャマー・マスジッド。2本の白の尖塔ミナレット、壁面上部にこぶりな尖塔が立ち、白の壁面にアラビア文字や花柄の装飾が見える。12～13世紀にバフティヤール・ハルジーがベンガルまで進軍したことで、この地にイスラム教が伝わり、仏教は滅亡した。その後、ムガル帝国第6代アウラングゼーブ帝（在位1658～1707年）が熱心なイスラム教徒であったため、多くのビハール人が改宗した。また1759年にムガルの都デリーが陥落したとき、ガヤやパトナなどの領地にイスラム教徒が逃れてきて、定住したという経緯もある。

ジャイナ寺院 ★☆☆

Jain Mandir／㋪जैन मंदिर　㋒جین مندر

ファルグ川近くに立つガヤのジャイナ寺院。ジャイナ教は、仏教とほぼ同じ紀元前6世紀ごろに同じ場所で生まれた。ニガンタ・ナータプッタ（マハーヴィーラ）は仏教の側からは六師外道のひとりと見なされた一方、ブッダと同じく悟りを開いた者でもあった。インド仏教が13世紀に滅亡したのに対して、ジャイナ教はその後の2500年にわたって持続したインド固有の宗教でもある。ジャイナ教は禁欲主義で知られ、不殺生の考えから農業などにはつかず、おもに商人として活躍してきた。ジャイナ教徒のコミュニティは小さいものの、インド社会での地位や信用力は高い。

ガヤ・ジャンクション鉄道駅 ★☆☆

Gaya Junction Railway Station／ⓗ गया जंक्शन रेलवे स्टेशन
ⓤ گیا جنکشن ریلوے اسٹیشن

世界遺産のブッダガヤへの玄関口となり、ビハール州を代表する鉄道駅のガヤ・ジャンクション鉄道駅。イギリス統治時代(1764～1947年)の19世紀に建てられたのち、1956年に改装された。ちょうど新市街北西部に位置し、東側にはファルグ川をまたぐ鉄道橋がかかる。この鉄道駅は、ガヤと西側のムガルサライ地区を管轄する。

ガンジー・マイダン ★☆☆

Gandhi Maidan　ⓗ गांधी मैदान　ⓤ گاندھی میدان

ガヤ新市街の南西に位置するガンジー・マイダン。マイダンはイギリスが各地につくった広場で、閲兵や競馬、ゴルフ、クリケットなどが行なわれた。あたりにはガヤ博物館や聖デイヴィッド教会など、近代ガヤを象徴する建物が残る。1947年のインド独立後、ガンジー・マイダンと名前が変わり、インド独立の父マハトマ・ガンジーの記念碑が立つ。

ガヤ博物館 ★☆☆

Gaya Museum　ⓗ गया संग्रहालय／ⓤ گیا میوزیم

マガダ国(ビハール州)の3000以上の古代美術品を収蔵するガヤ博物館。石の彫刻、マウリヤ朝からグプタ朝のコインやテラコッタなどの展示品は、かつてのプライベート・コレクションで、1970年にガヤ博物館として開館した。ガンジー・マイダンに隣接する。

聖デイヴィッド教会 ★☆☆

Baptist Union Church／Ⓗ बैप्टिस्ट युनियन चर्च／Ⓤ بپٹسٹ یونین چرچ

　ガヤでもっとも由緒正しく石づくりのこぶりなたたずまいを見せるキリスト教の聖デイヴィッド教会。ガヤは1764年のバクサルの戦いでイギリス領となり、1882年にガヤのキリスト教布教もはじまった（バザールや学校で布教した）。ロンドン・バプテスト宣教協会による教会で、鐘楼を前方に配し、上部には十字架が載る。近くにはユニオン・チャーチも立つ。

ラムシラ・ヒル ★☆☆

Ramshila Hill　Ⓗ रामशिला पहाड़ी／Ⓤ رامشیلا پہاڑی

　ラーマゆかりの聖地で、ガヤ市街の北側にそびえる高さ218mのラムシラ・ヒル（ラムシラの丘）。ここは『ラーマーヤナ』の英雄ラーマが丘のうえで祖霊祭を行なって、亡き父ダシャラタにピンダ・ダーンを捧げた場所だと考えられる。ラムシラ・ヒルの頂上には、1014年に建てられたあと、いくども改修されているラーメーシヴァラ寺院（パタレスヴァラ寺院）が立ち、ラーマ、シーター、ラクシュマナの偶像を安置する（南インドのラーメーシュワラム同様、ラーマによるシヴァ・リンガが奉納されたシヴァ派の寺院）。またコルカタを拠点に活動するクリシュナ・バスーによって1811年に建てられた祠堂も残る。祖霊祭のとき、ここラムシラ・ヒルでピンダ（団子）を捧げるための巡礼者が殺到し、丘の南麓には、ピンダを捧げるためのヴェディ・カカバリがあり、古いヨーロッパ人墓地も残っている。

Around Gaya

ガヤ郊外城市案内

ガンジス河とその支流がつくったビハールの平原
インドを象徴する多様な宗教世界が展開された
ガヤ郊外への旅

プレズヒラ・ヒル ★☆☆

Pretshila Hill ㊩ प्रेतशिला पहाड़ी／㋒ پریتشیلا پہاڑی

ガヤ北西8km郊外に立ち、「幽霊の丘」とも呼ばれる高さ266mのプレズヒラ・ヒル。ガヤの祖霊祭で重要な意味をもつ聖域のひとつで、丘のうえには死の神ヤマをまつる寺院が立つ。悪魔ガヤ（ガヤースラ）がこの山に登って罪滅ぼしをし、ここを訪れるものは誰でも救済され、「ヴィシュヌ神の天界」ヴァイクンタへ行けるよう求めた（ガヤの身体が動いているため、ヤマは地獄の石をもってきて、ガヤの頭の上においたが、それでも動きはとまらず、ヴィシュヌ神が踏みつけたことでガヤは死んだ）。そしてその願いを聞いたヴィシュヌ神は、ガヤの身体のうえにその名をとった聖地ガヤをつくったことから、ガヤ発祥の地とも言える聖地となっている。壮大な彫刻が美しい山頂の寺院は、インドールの女王アヒリヤ・バーイー（1766年〜93年）によるもので、1787年に建てられた。寺院に隣接してラーマが沐浴したというラーマ・クンドが残り、丘の麓にはブラフマー・クンドも位置する。プレズヒラ・ヒルを訪れた巡礼者は、祖霊にピンダという米と小麦粉の団子を捧げる。

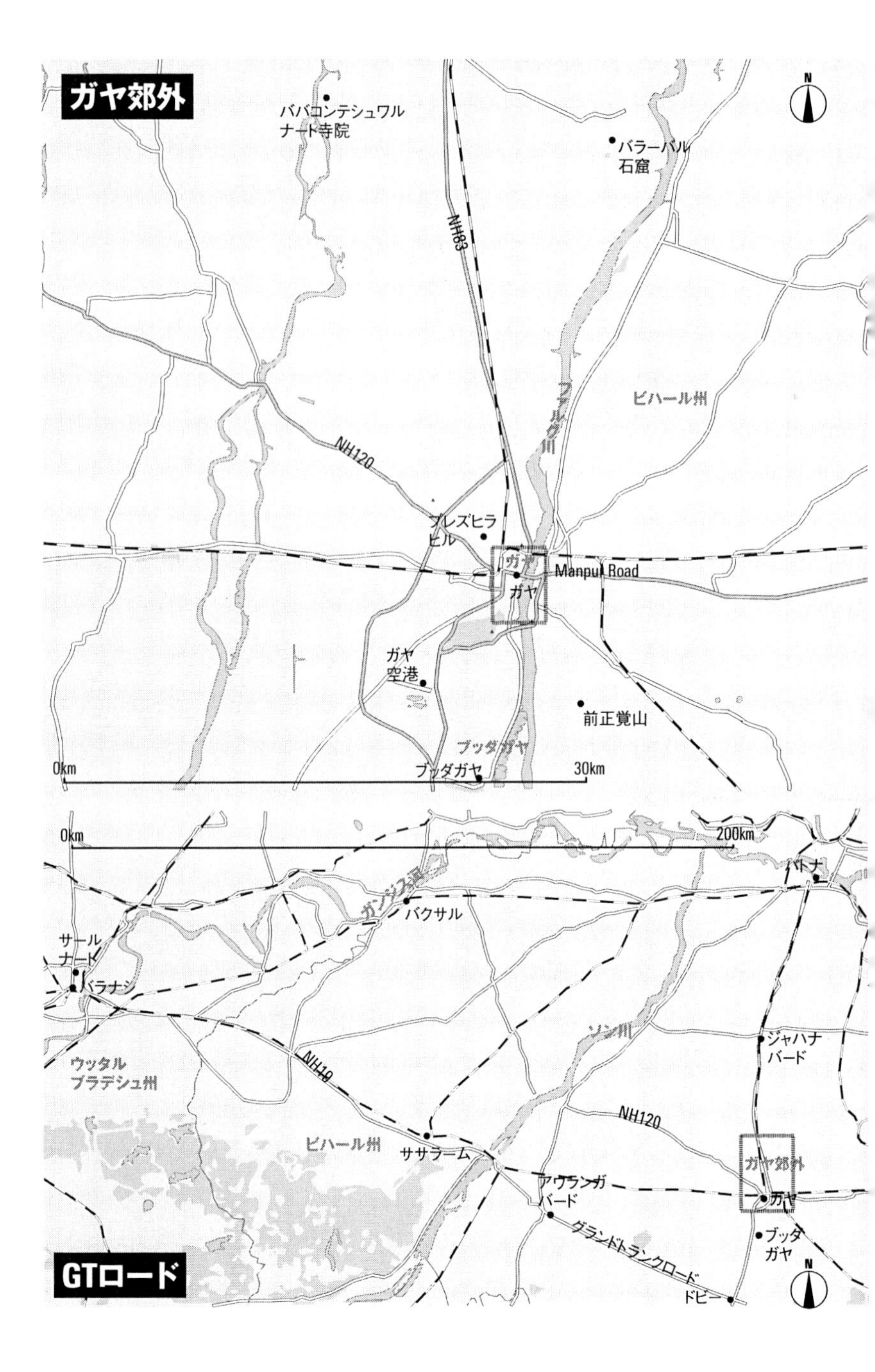
ガヤ郊外
ババコンテシュワルナート寺院
バラーバル石窟
NH83
ファルグ川
ビハール州
NH120
ブレズヒラヒル
ガヤ
Manpur Road
ガヤ
ガヤ空港
前正覚山
ブッダガヤ
ブッダガヤ
0km
30km
0km
200km
パトナ
ガンジス河
バクサル
サールナート
バラナシ
ウッタルプラデシュ州
ソン川
ジャハナバード
NH19
NH120
ビハール州
ササラーム
ガヤ郊外
アウランガバード
ガヤ
ブッダガヤ
グランドトランクロード
ドビー
GTロード

ババ・コンテシュワルナート寺院 ★☆☆

Koncheshwar Mahadev Mandir／Ⓗ कोंचेश्वर महादेव मंदिर

Ⓤ کونچیشور مہادیو مندر

のんびりとしたガヤ郊外の河川合流点に立つ赤色のババ・コンテシュワルナート寺院。もともとこの地は深い森におおわれていて、8世紀ごろ、仏教寺院として創建されたというがはっきりしたことはわかっていない。現在はシヴァ寺院となっていて、東向きで、上昇性あるシカラ屋根は湾曲している。寺院そのものが生命の象徴である男性器リンガを示し、内部には1008体の小さなシヴァ・リンガを内包するシヴァ・リンガが安置されている。建築様式、場所、時期にそれほど開きがなく、ブッダガヤのマハーボーディ寺院とくらべられる（この寺院がブッダガヤのマハーボーディ寺院のモデルになったという説もある）。

バラーバル石窟 ★☆☆

Barabar Caves／Ⓗ बराबर गुफा／Ⓤ باربر گفا

ガヤの25km北郊外のバラーバル丘に残る、紀元前3世紀ごろから掘られた石窟群のバラーバル石窟。カルナ・カウハル窟、スダーマ窟、ローマス・リシ窟、未完成のビスバジョプリ窟からなる（一枚岩の花崗岩に石窟が刻まれている）。「法の王」と呼ばれたアショカ王の紀元前3世紀の碑文も見られ、そこからバラーバル石窟は仏教ではなく、アージヴィ

★★★

ブッダガヤ *Bodh Gaya*

★★☆

前正覚山（ドゥンゲシュワリ・ヒル） *Dungeshwari Hill*

ガヤ *Gaya*

★☆☆

プレズヒラ・ヒル *Pretshila Hill*

ババ・コンテシュワルナート寺院 *Koncheshwar Mahadev Mandir*

バラーバル石窟 *Barabar Caves*

グランド・トランク・ロード（GTロード） *Grand Trunk Road*

ガヤ空港 *Gaya International Airport*

ファルグ川 *Falgu River*

カ教に寄進されたものだと考えられる。とくにローマス・リシ窟は、僧侶が使っていた木と茅葺きの小屋を彷彿とさせる石刻が見られ、インド最古級の石窟寺院にあげられる。きわめて貴重なアージヴィカ教の遺跡で、2kmほど離れたナーガールジュニ丘にもマウリヤ朝時代の石窟が残る。

六師外道とアージヴィカ教

ブッダが生きた紀元前6世紀ごろの北インドには、仏教側から六師外道と呼ばれる道徳否定論者、決定論者（アージヴィカ教）、七要素説、唯物論者、懐疑論者、相対論者（ジャイナ教）などの新思想をもつ人たちがいて、ガヤはそういった人びとが集まる宗教都市となっていた。そのうち、輪廻の生存や運命はもともと決まっているという宿命論、運命論を説いて、人間の意思や努力を否定したのが、アージヴィカ教（決定論者）だった。古代インドの宗教アージヴィカ教はマッカリ・ゴーサーラによってはじめられ、現在は消滅しているが、紀元前3世紀のマウリヤ朝時代、仏教やジャイナ教とともに勢力をもっていた。

グランド・トランク・ロード（GTロード） ★☆☆

Grand Trunk Road　㋪ग्रैंड ट्रंक रोड／㋒گرینڈ ٹرنک روڈ

北側にヒマラヤ山脈がそびえ、インド洋に突き出した逆三角形の国土をもつインドでは、北西の中央アジアから20以上の民族が侵入し、土着の文化と融合することで新たな文化が育まれてきた。この歴代覇王の通った、インド平原の各都市を結ぶのがグランド・トランク・ロード（GTロード）で、古くは紀元前3世紀のアショカ王時代にもこの道があったという。そして、ブッダはグランド・トランク・ロードを通って、悟りの地ブッダガヤから初転法輪の地サールナート（バラナシ）へ向かったという。その後、現在使われているグランド・トランク・ロードを実質的につくったのは、ビハールのアフガン系領主の子に生まれ、ムガル帝国初期に一時インドを支配したスール朝のシェール・シャー（1472〜1545年）だった。シェール・シャーは自身の拠点であるブッダガヤ西のササラーム（「千の僧院」を意味し、シェール・シャー廟が残る）から、バラナシ、デリーへ向かう道、また逆にアウランガバード（ビハール）、ブッダガヤ南のシェルガティからベンガルへ続く大動脈を整備した。このビハールから北インドやベンガルへ続く道は、ムガル帝国のアクバル帝（在位1556年〜1605年）にも使われ、カブール、ペシャワール、ラホール、デリー、アーグラ、バラナシ、ガンジス河中流域、ベンガルへと続くグランド・トランク・ロードこそがムガル帝国の繁栄を支えたという。またこの道は、ベンガルのコルコタを拠点としたイギリスの東インド会社が、1757年のプラッシーの戦い、1764年のバクサルの戦いとインド中心部へ進軍することを容易にした。

アーリア人が非アーリア人を征服していく過程が『ラーマーヤナ』に映された

ビハールで出土した紀元前3世紀ごろの法輪

Machi No Utsurikawari

城市のうつりかわり

東に向かって坐って悟りを開いたブッダ
それは東方世界(東アジア、東南アジア)に広がっていく
仏教2500年のはじまりだった

ビハールの古代(〜紀元前6世紀ごろ)

ブッダガヤ(ガヤ)の位置するビハール州は、ガンジス河の恵みを受けて肥沃な穀倉地帯をつくるガンジス河中流域にあたり、古代インドの先進地でもあった。ブッダガヤのマハーボーディ寺院に隣接するタラディ遺跡から手斧や石器が発掘され、新石器時代の人類の営みも確認されている。紀元前10世紀ごろ、森林におおわれた大地には、土着の民族が暮らし、北西から火の神アグニ、雷神インドラなど(『ヴェーダ』の宗教、バラモン教)を信仰するアーリア人が侵入してきた。武力にまさるアーリア人の征服過程は、『ラーマーヤナ』のラーマ王子が南へ進軍する物語にも映され、ブッダガヤ近くのガヤはラーマが祖霊祭を行なった地だとされる。また地名ガヤがこの地にいた悪魔ガヤをヴィシュヌ神が倒してつけられたという神話からも、この地域が非アーリア文化(土着)とアーリア(ラーマやヴィシュヌ)の交わる地であったことがうかがえる。こうした気風をもつビハールの地で、仏教やジャイナ教(六師外道)といった新思想が生まれていくことになる。当時の古代インドには16の国があり、ビハールのマガダ国はコーサラ国とならぶ屈指の強国であった。

ブッダの時代(紀元前6世紀ごろ)

紀元前6世紀ごろ、ルンビニ(ネパール)に生まれた釈迦族の王子シッダールタは、人が避けられない「生老病死」からの解脱を求めて、カピラヴァストゥ(ウッタル・プラデーシュ州ピプラワ)をあとにし、出家してマガダ国の都ラージギルにやってきた。しかし、そこで得るもののなかったシッダールタは、仲間の5人とともに、当時、多くの修行者が集まっていたウルヴェーラに向かった。ウルヴェーラの森で仲間とともに6年間苦行をして過ごしたが、それでは解脱を得られることはできないと考え、苦行をやめ、娘スジャータから乳粥を受けて、ブッダガヤの菩提樹のもとで瞑想をし、やがて悟りを開いた(ウルヴェーラとはネーランジャラー河ほとりの広大な地を意味し、ブッダが苦行した場所は象頭山、前正覚山、セナーニ村の東などの説がある)。娘スジャータの家があったセナーニ村は軍営地だったと考えられ、当時、ブッダガヤから南にかけての森にはインド世界の中心とは異なる原住民が生活していた。ブッダは悟りを開いたのち、カッサパ三兄弟を改宗させるために、一度、ブッダガヤに戻ってきたが、その後、45年間旅を続け、二度とブッダガヤに戻ることはなかった。当時、マガダ国はシシュナーガ朝の第5代ビンビサーラ王(在位紀元前543年ごろ～前491年ごろ)、第6代アジャータシャトル王(在位紀元前491年ごろ～前459年ごろ)の時代で、王たちはブッダとその教団を保護し、仏教はインド全域へ伝播していった。ブッダガヤ(ブッダのガヤ)という街名は後世になってつけられたもので、ブッダが生きた時代のウルヴェーラという地名は現在、マハーボーディ寺院南側のウライルという集落名で残っている。

パーラ朝時代の仏像

仏教と同時期、同地域で生まれたジャイナ教の画

スジャータ村で遊ぶ子どもたちに出合った

力強く伸びあがるマハーボーディ寺院

マウリヤ朝時代（紀元前3世紀ごろ）

マガダ国シシュナーガ朝の都は、第6代アジャータシャトル王（在位紀元前491年ごろ～前459年ごろ）以後、王舎城ラージギルからパータリプトラ（パトナ）へと遷った。紀元前4世紀なかばにナンダ朝が起こり、アレキサンダーの北西インド進出時（紀元前327～前325年）に北インドを支配していたが、やがてチャンドラグプタに滅ぼされて、マウリヤ朝（紀元前317年ごろ～前180年ごろ）が創始された。この時代を通じて、ブッダガヤとガヤはこれらの王朝の版図にあり、マウリヤ朝時代にブッダガヤにはじめてマハーボーディ寺院が創建された。マウリヤ朝第3代アショカ王（在位紀元前268年ごろ～前232年ごろ）は、全インドにわたる領土を築いたが、カリンガ（オリッサ）への征服戦争のとき多くの死者を出し、武力ではなく、法（ダルマ）による統治を目指した。アショカ王は仏教に帰依して仏教四大聖地を巡礼し、ストゥーパを建て、石碑を残した。ブッダガヤのマハーボーディ寺院は紀元前260年ごろ、アショカ王が建てたものをはじまりとする（アショカ王は世界各地に8万4000のストゥーパを建てた）。古代インド世界の様子を今に伝えるアショカ王石柱の法輪（チャクラ）は、インドの国旗に記され、ブラフミー文字で記されたアショカ王の碑文は姿を変えながら2000年以上続いて、デーヴァナーガリー文字として現在インドで使われている。アショカ王の寛容性を示すように、ブッダガヤ郊外に仏教とは異なるアージヴィカ教のバラバール石窟も開削されている。

グプタ朝～パーラ朝時代（4～12世紀）

紀元前2世紀のマウリヤ朝の没落から、4世紀にグプタ朝（320～550年ごろ）が台頭するまで、ブッダガヤの状況はわかっていない。ただマハーボーディ寺院の遺構のうち、もっとも古いシュンガ朝時代(紀元前2世紀)の欄楯が残っていて、2世紀ごろそれまで認められていなかった仏像がつくられるようになったと推定される。仏教やジャイナ教はインド全域に広がったが、バラモン教も対抗するかたちでシヴァ神とヴィシュヌ神を中心とするヒンドゥー教へと教義を変化させていった。そして、ガヤはヒンドゥー教のなかに組み込まれた祖先崇拝の聖地となり、グプタ朝でヴィシュヌ信仰が盛んだったこともあって、ヒンドゥー教が仏教に対して優勢になり、ブッダはヴィシュヌ神の化身であると考えも出てきた。360年ごろの、グプタ朝のサムドラグプタ王と、スリランカのスリメガヴァンナ王のやりとりから、周辺国に仏教が広がり、インド本国では仏教が衰退している状況もうかがえる。またこの時代のブッダガヤの様子は、中央アジアをへて1世紀ごろ仏教が伝わった中国の仏僧法顕と玄奘三蔵の巡礼の記録で残っている。409年にブッダガヤを訪れた法顕(337年ごろ〜422年ごろ)は、マハーボーディ寺院の大塔についてふれていないが、637年にブッダガヤを訪れた玄奘三蔵(602〜664年)は、現在のマハーボーディ寺院と変わらない様子を記していることから、7世紀にはマハーボーディ寺院が現在の姿となっていたと考えられる。またベンガルから起こったパーラ朝時代(8〜12世紀)の仏像や彫刻、碑文が出土していて、仏教徒によるマハーボーディ寺院の修復作業が続いていた。一方、古代インド世界の中心地であったビハールの地位は相対的にさがっていくことになる。

イスラムによる征服と仏教の滅亡(12〜13世紀)

8世紀以来、イスラム勢力がインドに侵入し、1192年のタラインの戦いに勝利したイスラム勢力は北インドにデリー・サルタナット朝を樹立した。10世紀ごろ、ガヤではヒンドゥー教の仏教に対する優勢は決定的になっていた

右手をたらして瞑想するブッダの彫像

乾いた大地がどこまでも続く

ブッダガヤのバザールにて

夜明け前から巡礼者が訪れる

が、1193年のイスラム軍バフティヤール・ハルジーによるビハール攻撃で、ブッダガヤも被害をこうむり、ナーランダやヴィクラマシーラといった仏教大学の破壊で、13世紀にはインド仏教の伝統はついえた（ビハール州の準公用語がウルドゥー語であることやバングラデシュがイスラム国であるのはこのときの経緯にはじまる）。ビハールの仏教徒の一部はイスラム教に改宗したが、その多くは信仰的に近かったヴィシュヌ派のヒンドゥー教徒となり、やがてブッダや仏教聖地のブッダガヤという存在は忘れられていくことになる。一方で、インド仏教の伝統はチベットやネパール、南インドに伝えられ、1234〜36年にチベット僧ダルマスヴァーミンがブッダガヤに巡礼したとき、仏教僧は見られず、シヴァ神の姿があったという。この時代、ガンジス河中流域にあったインドの王権や権力は地方へ分散し、デリーが新たなインドの中心となることが決定的になった。

ムガル帝国時代（16〜18世紀）

ベンガル地方のバラモンを出自とするヒンドゥー教ヴィシュヌ派の聖者チャイタニヤが1508年にブッダガヤに訪れたという記録、また1587〜94年にガヤ対岸のマンプールにラジャ・マン・シンという地方領主がいたという記録はあるが、当時のブッダガヤの様子は定かではない。ムガル帝国（1526〜1858年）初期、北ビハールは帝国中央かベンガル地方政府の直接支配を受け、南ビハールはそれぞれの地方領主による間接統治が行なわれた。そしてビハールは1574年に第3代アクバル帝の統治下となり、地方領主に土地の支配を認める一方、徴税を行なわせるザミンダール制がとられていた。こうしたなかの1590年、ヒンドゥー教シヴァ派シャンカラの流れをくむ聖者ゴサイン・ガマンデイ・ギリがブッダガヤを訪れ、その美しさに心打たれてこの地に庵を結んだ。これがブッダガヤの初代マハントで、以来、マハント一族はムガル帝国から徴税権を認められ、ネーランジャラー河ほとりの邸宅ブッダガヤ・マトで絶大な権力をふるっていた(マハーボーディ寺院もマハントの所有物となり、ブッダガヤはヒンドゥー教シヴァ派の聖地となっていた)。この時代、インド全域でムガル帝国第6代アウラングゼーブ帝(在位1658〜1707年)がイスラム化を進めたことから、ブッダガヤ西部にもアウランガバードがあり、ガヤはアラムギールプルと呼ばれていた。こうしてイスラム教のムガル帝国、18世紀なかごろからヒンドゥー教のマラータと主を替えたが、ブッダガヤはザミンダール(地方領主)であるマハントによって統治されていた(マハントはガヤ南の丘やジャングルなどで、農業経営の拡大を進めた)。

イギリス時代(18〜20世紀)

　大航海時代を迎えたヨーロッパは、1498年にインド航路を「発見」し、本格的にインドに進出した。1690年、イギリス東インド会社がコルカタに商館をもうけて、1757年のプラッシーの戦いで徴税権を獲得、1764年のバクサル(ウッタル・プラデーシュ州とビハール州のあいだ)の戦いでガヤを支配下においた。ベンガルとビハールはイギリスの統治下となり、1785年、ヒンドゥー聖地オールド・ガヤの北側に新市街サーヒブ・ガンジが築かれた。イギリス統治下でインド各地の調査が行なわれたが、1833年、ベンガルに赴任した軍人のカニンガム(1814〜93年)によって1861年にインド考古調査局が設立された。インド考古調査局はインドからアフガニスタン、ミャンマー、スリランカまで広大な範囲を調査し、とくに13〜19世紀のあいだ放置され、忘れ去られていたインドの仏教遺跡を発掘したことで評価されている(ブッダガヤ、ルンビニ、サールナート、ガンダーラ、サーンチーなどが発掘された)。1880〜81年にかけてマハーボーディ寺院が修復され、スリランカのダルマパーラが1891年にマハーボーディ協会を設立してブッダガヤで仏教復興運動がはじまった。一方、マハーボーディ寺院を所有するヒンドゥー教徒のマハントは、この仏教復興運動の広がりを認めず、イギリスもマハントよりの姿勢を示すなど、聖地ブッダガヤをめぐる問題は20世紀以後にもちこされることになった。

現代（20世紀〜）

1912年、言語の異なるビハールとオリッサはベンガル州から分離され、ビハールの主都はかつてアショカ王の都パータリプトラがあったパトナにおかれた。そしてインド国民会議派（1885年に設立）のマハトマ・ガンジー、ネルーの指導のもと、第二次世界大戦後の1947年にインドはイギリスからの独立を果たした（イスラム教国のパキスタンと分離独立した）。インド初代首相にネルーが就任し、ブッダガヤのマハーボーディ寺院はマハントの所有物からビハール州にひき渡されることになった。1949年にはブッダガヤ寺院管理法が制定され、マハーボーディ寺院の修復や維持は、ヒンドゥー教徒と仏教徒による寺院管理委員会のもと行なわれている（1953年にマハントからインド政府側に引き渡された）。1956年の2500回目のブッダ生誕祭にあわせて、「ブッダガヤに国際仏教社会を建設しよう」とネルーは呼びかけ、世界中の仏教国による寺院がブッダガヤに建てられていった。仏教聖地ブッダガヤの「発見」された19世紀以来の仏教復興運動が、20世紀に入って実を結んだと言える。もともとブッダガヤはビハールの農村社会だったが、マハントの弱体化、仏教聖地の整備を受けて、仏教に改宗する者（集落）も現れ、街の開発も進み、人口が増えていった。ブッダが悟りを開いた場所に立つマハーボーディ寺院は、2002年に世界文化遺産に指定され、今では世界中から仏教徒や観光客がこの街に訪れている。

参考文献

『ゴータマ・ブッダ』(中村元/春秋社)
『ブッダ大いなる旅路』(NHK「ブッダ」プロジェクト/日本放送出版協会)
『マハーボーディ寺:ブッダの大いなる悟り』(アレキサンダー・カニンガム/マハーボーディ刊行会)
『ダルマパーラのブッダガヤ復興運動と日本人』(外川昌彦/日本研究)
『ブッダガヤ大菩提寺:新石器時代から現代まで』(佐藤良純/山喜房佛書林)
『ローカルな文脈における「聖地」の場所性』(前島訓子/日本都市社会学会年報)
『交錯する「仏教聖地」構築と多宗教的現実』(前島訓子/日本都市社会学会年報)
『ヴィシュヌの化身となったブッダ』(及川弘美/東方)
『ヒンドゥー教の葬儀・祖先祭祀研究』(虫賀幹華/東京大学宗教学年報)
『大唐西域記』(玄奘・水谷真成訳注/平凡社)
『岩波仏教辞典 第2版』(中村元ほか編/岩波書店)
『Gaya (Gazetteer of India, Bihar)』(P.C.Roy Chaudhury/the Superintendent Secretariat Press)
『The maha-bodhi temple and the monastery of Bodh-gaya』(Balindralal Das/Printed at Indian Printing Press)
『The rebirth of Bodh Gaya』(David Geary/University of Washington Press)
『Gaya and Buddha-Gaya』(Barua・Benimadhab/Indian Research Institute Publications)
『Art and architecture of the Gaya and Bodh Gaya』(Anjani Kumar/Ramanand Vidya Bhawan)
『His Holiness the Dalai Lama Inaugurates New Thai Buddhist Temple in Bodhgaya』(Staff Reporter/tibet.net)
Incredible India https://www.incredibleindia.org/
Gaya | District Gaya, Bihar | India https://gaya.nic.in/
Bodhgaya Temple – Official Website https://www.bodhgayatemple.com/
Bihar Tourism - Government of Bihar https://tourism.bihar.gov.in/
UNESCO World Heritage Centre https://whc.unesco.org/
Times of India https://timesofindia.indiatimes.com/
All India Bhikkhu Sangha Bodhgaya http://www.allindiabhikkhusangha.org.in/
วัดไทยพุทธคยา935 http://www.watthaibuddhagaya935.com/
東京大学仏教青年会http://todaibussei.or.jp/
公益財団法人国際仏教興隆協会 https://www.ibba.jp/
宗教法人大乗教 http://www.daijokyo.or.jp/
インド・ブッダガヤ 仏心寺/Busshinji https://busshinji.in/
The Great Buddha Statue http://www.great-buddha-statue.com/
Amitabha Foundation https://amitabhafoundation.us/
Root Institute: Home https://www.rootinstitute.ngo/
OpenStreetMap
(C)OpenStreetMap contributors
挿絵 The Metropolitan Museum of Art所蔵 https://www.metmuseum.org/
写真提供 Isao Endo
suwijaknook6644689/Shutterstock.com,saiko3p/Shutterstock.com,Casper1774 Studio/
Shutterstock.com,paha1205/Shutterstock.com,Tinnaporn Sathapornnanont/Shutterstock.com

まちごとパブリッシングの旅行ガイド

Machigoto INDIA , Machigoto ASIA , Machigoto CHINA

北インド-まちごとインド

001 はじめての北インド
002 はじめてのデリー
003 オールド・デリー
004 ニュー・デリー
005 南デリー
012 アーグラ
013 ファテープル・シークリー
014 バラナシ
015 サールナート
022 カージュラホ
032 アムリトサル

西インド-まちごとインド

001 はじめてのラジャスタン
002 ジャイプル
003 ジョードプル
004 ジャイサルメール
005 ウダイプル
006 アジメール(プシュカル)
007 ビカネール
008 シェカワティ
011 はじめてのマハラシュトラ
012 ムンバイ
013 プネー
014 アウランガバード
015 エローラ
016 アジャンタ
021 はじめてのグジャラート
022 アーメダバード
023 ヴァドダラー(チャンパネール)
024 ブジ(カッチ地方)

東インド-まちごとインド

002 コルカタ
012 ブッダガヤ

南インド-まちごとインド

001 はじめてのタミルナードゥ
002 チェンナイ
003 カーンチプラム
004 マハーバリプラム
005 タンジャヴール
006 クンバコナムとカーヴェリー・デルタ
007 ティルチラパッリ
008 マドゥライ
009 ラーメシュワラム
010 カニャークマリ
021 はじめてのケーララ
022 ティルヴァナンタプラム
023 バックウォーター(コッラム〜アラップーザ)

024　コーチ（コーチン）
025　トリシュール

006　ムルタン

ネパール-まちごとアジア

001　はじめてのカトマンズ
002　カトマンズ
003　スワヤンブナート
004　パタン
005　バクタプル
006　ポカラ
007　ルンビニ
008　チトワン国立公園

バングラデシュ-まちごとアジア

001　はじめてのバングラデシュ
002　ダッカ
003　バゲルハット（クルナ）
004　シュンドルボン
005　プティア
006　モハスタン（ボグラ）
007　パハルプール

パキスタン-まちごとアジア

002　フンザ
003　ギルギット（KKH）
004　ラホール
005　ハラッパ

イラン-まちごとアジア

001　はじめてのイラン
002　テヘラン
003　イスファハン
004　シーラーズ
005　ペルセポリス
006　パサルガダエ（ナグシェ・ロスタム）
007　ヤズド
008　チョガ・ザンビル（アフヴァーズ）
009　タブリーズ
010　アルダビール

北京-まちごとチャイナ

001　はじめての北京
002　故宮（天安門広場）
003　胡同と旧皇城
004　天壇と旧崇文区
005　瑠璃廠と旧宣武区
006　王府井と市街東部
007　北京動物園と市街西部
008　頤和園と西山
009　盧溝橋と周口店
010　万里の長城と明十三陵

天津-まちごとチャイナ

001 はじめての天津
002 天津市街
003 浜海新区と市街南部
004 薊県と清東陵

上海-まちごとチャイナ

001 はじめての上海
002 浦東新区
003 外灘と南京東路
004 淮海路と市街西部
005 虹口と市街北部
006 上海郊外(龍華・七宝・松江・嘉定)
007 水郷地帯(朱家角・周荘・同里・甪直)

河北省-まちごとチャイナ

001 はじめての河北省
002 石家荘
003 秦皇島
004 承徳
005 張家口
006 保定
007 邯鄲

江蘇省-まちごとチャイナ

001 はじめての江蘇省
002 はじめての蘇州
003 蘇州旧城
004 蘇州郊外と開発区
005 無錫
006 揚州
007 鎮江
008 はじめての南京
009 南京旧城
010 南京紫金山と下関
011 雨花台と南京郊外・開発区
012 徐州

浙江省-まちごとチャイナ

001 はじめての浙江省
002 はじめての杭州
003 西湖と山林杭州
004 杭州旧城と開発区
005 紹興
006 はじめての寧波
007 寧波旧城
008 寧波郊外と開発区
009 普陀山
010 天台山
011 温州

福建省-まちごとチャイナ

001 はじめての福建省
002 はじめての福州
003 福州旧城
004 福州郊外と開発区
005 武夷山

006　泉州

007　厦門

008　客家土楼

重慶-まちごとチャイナ

001　はじめての重慶

002　重慶市街

003　三峡下り（重慶〜宜昌）

004　大足

005　重慶郊外と開発区

広東省-まちごとチャイナ

001　はじめての広東省

002　はじめての広州

003　広州古城

004　天河と広州郊外

005　深圳（深セン）

006　東莞

007　開平（江門）

008　韶関

009　はじめての潮汕

010　潮州

011　汕頭

四川省-まちごとチャイナ

001　はじめての四川省

002　はじめての成都

003　成都旧城

004　成都周縁部

005　青城山と都江堰

006　楽山

007　峨眉山

008　九寨溝

遼寧省-まちごとチャイナ

001　はじめての遼寧省

002　はじめての大連

003　大連市街

004　旅順

005　金州新区

006　はじめての瀋陽

007　瀋陽故宮と旧市街

008　瀋陽駅と市街地

009　北陵と瀋陽郊外

010　撫順

香港-まちごとチャイナ

001　はじめての香港

002　中環と香港島北岸

003　上環と香港島南岸

004　尖沙咀と九龍市街

005　九龍城と九龍郊外

006　新界

007　ランタオ島と島嶼部

マカオ-まちごとチャイナ

001　はじめてのマカオ
002　セナド広場とマカオ中心部
003　媽閣廟とマカオ半島南部
004　東望洋山とマカオ半島北部
005　新口岸とタイパ・コロアン

Juo-Mujin（電子書籍のみ）

Juo-Mujin香港縦横無尽
Juo-Mujin北京縦横無尽
Juo-Mujin上海縦横無尽
Juo-Mujin台北縦横無尽
見せよう! 上海で中国語
見せよう! 蘇州で中国語
見せよう! 杭州で中国語
見せよう! デリーでヒンディー語
見せよう! タージマハルでヒンディー語
見せよう! 砂漠のラジャスタンでヒンディー語

自力旅游中国Tabisuru CHINA

001　バスに揺られて「自力で長城」
002　バスに揺られて「自力で石家荘」
003　バスに揺られて「自力で承徳」
004　船に揺られて「自力で普陀山」
005　バスに揺られて「自力で天台山」
006　バスに揺られて「自力で秦皇島」
007　バスに揺られて「自力で張家口」
008　バスに揺られて「自力で邯鄲」
009　バスに揺られて「自力で保定」
010　バスに揺られて「自力で清東陵」
011　バスに揺られて「自力で潮州」
012　バスに揺られて「自力で汕頭」
013　バスに揺られて「自力で温州」
014　バスに揺られて「自力で福州」
015　メトロに揺られて「自力で深圳」

旅のインド文字

英語
ヒンディー語
ウルドゥー語

英語 ＝ アルファベット
ヒンディー語 ＝ デーヴァナーガリー文字
ウルドゥー語 ＝ ウルドゥー文字

ブッダガヤ

Bodh Gaya

बोधगया

بودھ گیا

タウン・マーケット（バザール）

Town Market

टाउन मार्केट

ٹاؤن مارکیٹ

マハーボーディ寺院公園

Mahabodhi Temple Complex

महाबोधि मंदिर परिसर

مہابودھی مندر کمپلیکس

各国仏教寺院

Buddhist Temples

बोधगया के मठ

بوڈگیا خانقاہ

マハーボーディ寺院

Mahabodhi Mahavihara

महाबोधि विहार

مہابودھی مندر

塔門

Ashoka Gate

अशोक गेट

آشوکا گیٹ

大塔
Mahabodhi Temple

महाबोधि मंदिर

مہابودھی مندر

ブッダ像（仏像）
Buddha Statue

बुद्ध प्रतिमा

بدھ مجسمہ

菩提樹
The Sacred Bodhi Tree

बोधि वृक्ष

بودھی درخت

金剛宝座（第1週目）
Vajrasana

वज्रासन

وجراسانا

欄楯
Balustrade

रेलिंग

ہینڈریل

アニメシュロチャン・チャイティヤ（第2週目）
Animeshlochan Chaitya

अनिमेश लोचन चैत्य

انیمیش لوچن چیٹیا

チャンカマナ・チャイティヤ（第3週目）
Cankamana Chaitya

चंकामाना चैत्य

چنکامانہ چیٹیا

ラタナガラ（第4週目）
Ratanaghara

रत्नाघारा

رتناگھرا

アジャパラ・ニグロダの木（第5週目）

Ajapala Nigrodha Tree

अजपाला-निग्रोधा वृक्ष

اجاپالا نگرودھا درخت

ラジャヤトナの木（第7週目）

Rajayatna Tree

राजयातना वृक्ष

راجیاتنا درخت

ターラー寺院（マヤ堂）

Tara Temple

तारा मंदिर

تارا مندر

バター・ランプ・ハウス

Butter Lamp House

बटर लैंप हाउस

بٹر لیمپ ہاؤس

リンガ

Lingam

शिवलिंग

شیو لنگم

ムチャリンダ・サロバール（第6週目）

Muchalinda Sarovar

मूचालिंडा सरोवर

مچلندا سروور

メディテーション・パーク

Meditation Park

मैडिटेशन गार्डन

مراقبہ پارک

歴代マハントの墓

Tombs of Mahants

महंत का कब्र

مہنت کا مقبرہ

スリランカ寺（マハーボーディ協会）
Sri Lanka Monastery (Maha Bodhi Society of India)

महाबोधि सभा

مہابودھی سبھا

チベット寺（ゲルク派チベット寺）
Tibetan Monastery

तिब्बती मठ

تبتی خانقاہ

ミヤビガ（シッダールタナガル）
Miya Bigha

मिया बीघा

میا بیگہ

ジャイ・プラカーシュ公園
Jayprakash Park

जय प्रकाश उद्यान

جئے پرکاش گارڈن

ビルラ寺院
Shree Birla Dharamshala

श्री बिड़ला धर्मशाला

برلا دھرم شالا

中国寺（中華大覚寺）
Chinese Temple

चाइनीस मंदिर

چینی مندر

台湾寺
Taiwan Temple

तैवान मंदिर

تائیوان مندر

シェチェン寺（チベット寺）
Shechen Tennyi Dargyeling

शेचें तेंन्यी दर्ग्येलिंग

شیچن ٹینیئی ڈارجیلنگ

ヴィエン・ジアク研究所（ベトナム寺）
Vien Giac Instituteiac

वीएन गिअक
ویئن جیاک انسٹی ٹیوٹ

ブッダガヤ考古学博物館
Archaeological Museum Buddhagaya

पुरातत्व संग्रहालय बोधगया
آثار قدیمہ میوزیم بودھ گیا

バングラデシュ寺
Bangladesh Buddhist Monastery

बांग्लादेश बौद्ध मठ
بنگلہ دیش بدھ خانقاہ

ネパール寺（タマン仏教僧院）
Tamang Buddhist Monastery

नेपाल मठ
نیپالی خانقاہ

マスティプル
Mastipur

मस्तीपुर
مستی پور

タイ寺（ロイヤル・ワット・タイ）
Wat Thai Buddhagaya

वॉट थाई बोधगया
واٹ تھائی

全インド出家僧協会
All India Bhikkhu Sangha

ऑल इंडिया भिक्खु संघा
آل انڈیا بھکھو سنگھا

ブータン寺
Royal Bhutan Monastery

रॉयल भूटान मठ
بھوٹان خانقاہ

大仏（80フィート・ブッダ）

80 Feet Buddha Statue (The Great Buddha Statue)

महान बुद्ध प्रतिमा

عظیم بدھ مجسمہ

大乗教寺（釈迦堂）

Daijokyo Buddist Temple

दैजोक्यो बुद्दिस्त मंदिर

ڈائجوکیو بدھ مندر

日本寺（印度山日本寺）

Japanese Temple

जैपनीज़ मंदिर बोधगया

جاپانی مندر

仏心寺

Busshinji Temple

बुस्शिंजी मंदिर

بوسنجی مندر

チベット・カルマ寺

Karma Temple

करमा मंदिर

کرما مندر

モンゴル寺

Mongolian Temple

मोंगोलियन मंदिर

مغولستان مندر

シッキム寺

Sikkim Temple

सिक्किम मंदिर

سیکیم مندر

カンボジア寺

Cambodian Monastery

कम्बोडियन मठ

کمبوڈیا خانقاہ

パリュール・ナムドロリン寺
Palyul Namdroling Temple

पल्युल नाम्द्रोलिंग मंदिर
پلیئول نمرولنگ مندر

タラディー遺跡
Taradih

ताराडीह
ترادیہ

ウライル
Urel

उरेल
یوریل

ブッダガヤ・マト
Bodh Gaya Math

बोधगया मठ
بودھ گیا خانقاہ

モスク
Masjid

मस्जिद
مسجد

ワット・パ・ブッダガヤ・バナラム寺院（新タイ寺院）
Wat Pa Buddhagaya Vanaram Temple

वाट पा बोधगया वनाराम
मंदिर
واٹ پا بودگیا وانارام مندر

ジャガンナート寺院
Jagannath Mandir

जगन्नाथ मंदिर
جگن ناتھ مندر

イスラム教徒の墓
Kabristan

कब्रिस्तान
قبرستان

ビルマ寺(ミャンマー寺)
Burmese Monastery

बर्मीज़ मठ

برما خانقاہ

アミダーバ・メディテーション・センター
Amitabha Meditation Center

अमिताभ ध्यान केंद्र

ایمتابھا مراقبہ مرکز

ネーランジャラー河
Niranjana River

निरंजना नदी

دریائے نیرنجارہ

バクロール
Bakraur

बक्रौर

بکرول

スジャータ村(セナーニ村)
Sujata Village

सुजाता ग्राम

سوجاٹا گاؤں

スジャータ・ガル
Sujata Garh (Sujata Stupa)

सुजाता गढ़

سوجاٹا گڑھ

スジャータ寺院
Sujata Temple

सुजाता मंदिर

سوجاٹا مندر

苦行林跡(ウルヴェーラの森)
Uruvela

उरुवेला

ورویلا

ブッダ・クサ草寺
Buddha Kusa Grass Temple

बुद्धा कुश ग्रास मंदिर
بدھ کوش گھاس مندر

マーケット・コンプレックス
Market Complex

मार्केट कॉम्प्लेक्स
مارکیٹ کمپلکس

チベット難民市場
Tibetan Refugee Market

तिब्बती शरणार्थी मार्केट
تبتی پناہ گزین مارکیٹ

ルート・インスティテュート寺
Roots Institute

रूट इंस्टीट्यूट मंदिर
روٹ انسٹی ٹیوٹ مندر

韓国寺
Korea Temple

कोरिया मंदिर
کوریا مندر

ニュー・タラディ村(バガルプル)
Bhagalpur

भागलपुर
بھاگلپور

ジャマー・マスジッド・バガルプル
Jama Masjid Bhgalpur

जामा मस्जिद भागलपुर
جامع مسجد بھاگلپور

ベトナム寺
Vietnam Bouddha Vihara Bhumi

विएतनाम मठ
ویتنام خانقاہ

メッタ・ブッダラム寺

Metta Buddharam Temple

मत्ता बुद्धाराम मंदिर

میٹا بدھرم مندر

テルガル僧院

Tergar Monastery

तेर्गर मठ

ٹیرگر خانقاہ

マガダ大学

Magadh University

मगध विश्वविद्यालय

مگدھا یونیورسٹی

前正覚山（ドゥンゲシュワリ・ヒル）

Dungeshwari Hill

दुंगेश्वरी पहाड़ी

ڈھنگیشوری پہاڑی

マハカラ洞窟（留影窟）

Mahakala Cave

महाकाल गुफा

مہکالا غار

ドゥンゲシュワリ寺院（ドゥンゲシュワリ洞窟寺院）

Dungeshwari Cave Mandir

दुंगेश्वरी गुफाएं मंदिर

ڈھنگیشوری غار مندر

ガヤ空港

Gaya International Airport

गया अंतर्राष्ट्रीय हवाई अड्डा

گیا بین الاقوامی ہوائی اڈہ

ガヤ

Gaya

गया

گیا

オールド・ガヤ
Andar Gaya

पुरानी गया
پرانی گیا

ファルグ川
Falgu River

फल्गु नदी
دریائے فالگو

ヴィシュヌ・パド寺院
Vishnupadh Mandir

विष्णुपद मंदिर
وشنوپاد مندر

ヴィシュヌ・パド(ヴィシュヌ神の足あと)
Vishnupadh

विष्णुपद
وشنوپاد

ファルグ・ガート
Falgu Ghat

फुल्गु घाट
فالگوگھاٹ

ガダダール寺院
Gadadhar Mandir

गदाधर मंदिर
گداھار مندر

シーター・クンド
Sita Kund

सीता कुंड
سیتا کنڈ

マングラ・ガウリ寺院
Mangla Gauri Mandir

माँ मंगला गौरी मंदिर
منگلا گوري مندر

アクシャヤ・ヴァット（菩提樹）
Akshya Vat

अक्षय वट

اکشیہ وَٹ

象頭山（ブラフマヨニ・ヒル）
Brahmayoni Hill

ब्रह्मयोनी पहाड़ी

براہمایونی پہاڑی

ガヤ新市街
Sahebganj

साहेबगंज

صاحب گنج

ティラ・ダラムサラ
Tilha Dharamsala

तिल्हा धर्मशाला

تلھا دھرم شالہ

ガヤ・コレクトレート（ガヤ地区委員会）
Gaya Collectorate

गया समाहरणालय

گیا کولیکٹوریٹ

ケダルナート・マーケット
Kedarnath Market

केदारनाथ मार्केट

کیدارناتھ مارکیٹ

ジャマー・マスジッド・ガヤ
Jama Masjid Gaya

जामा मस्जिद गया

جامع مسجد گایا

ジャイナ寺院
Jain Mandir

जैन मंदिर

جین مندر

ガヤ・ジャンクション鉄道駅
Gaya Junction Railway Station

गया जंक्शन रेलवे स्टेशन

گیا جنکشن ریلوے اسٹیشن

ガンジー・マイダン
Gandhi Maidan

गांधी मैदान

گاندھی میدان

ガヤ博物館
Gaya Museum

गया संग्रहालय

گیا میوزیم

聖デイヴィッド教会
Baptist Union Church

बैप्टिस्ट यूनियन चर्च

بپٹسٹ یونین چرچ

ラムシラ・ヒル
Ramshila Hill

रामशिला पहाड़ी

رامشیلہ پہاڑی

プレスヒラ・ヒル
Pretshila Hill

प्रेत्शिला पहाड़ी

پریٹشیلہ پہاڑی

ババ・コンテシュワルナート寺院
Koncheshwar Mahadev Mandir

कोंचेश्वर महादेव मंदिर

کونچیشور مہادیو مندر

バラーバル石窟
Barabar Caves

बराबर गुफा

باربر گفا

グランド・トランク・ロード（GTロード）

Grand Trunk Road

ग्रैंड ट्रंक रोड

گرینڈ ٹرنک روڈ

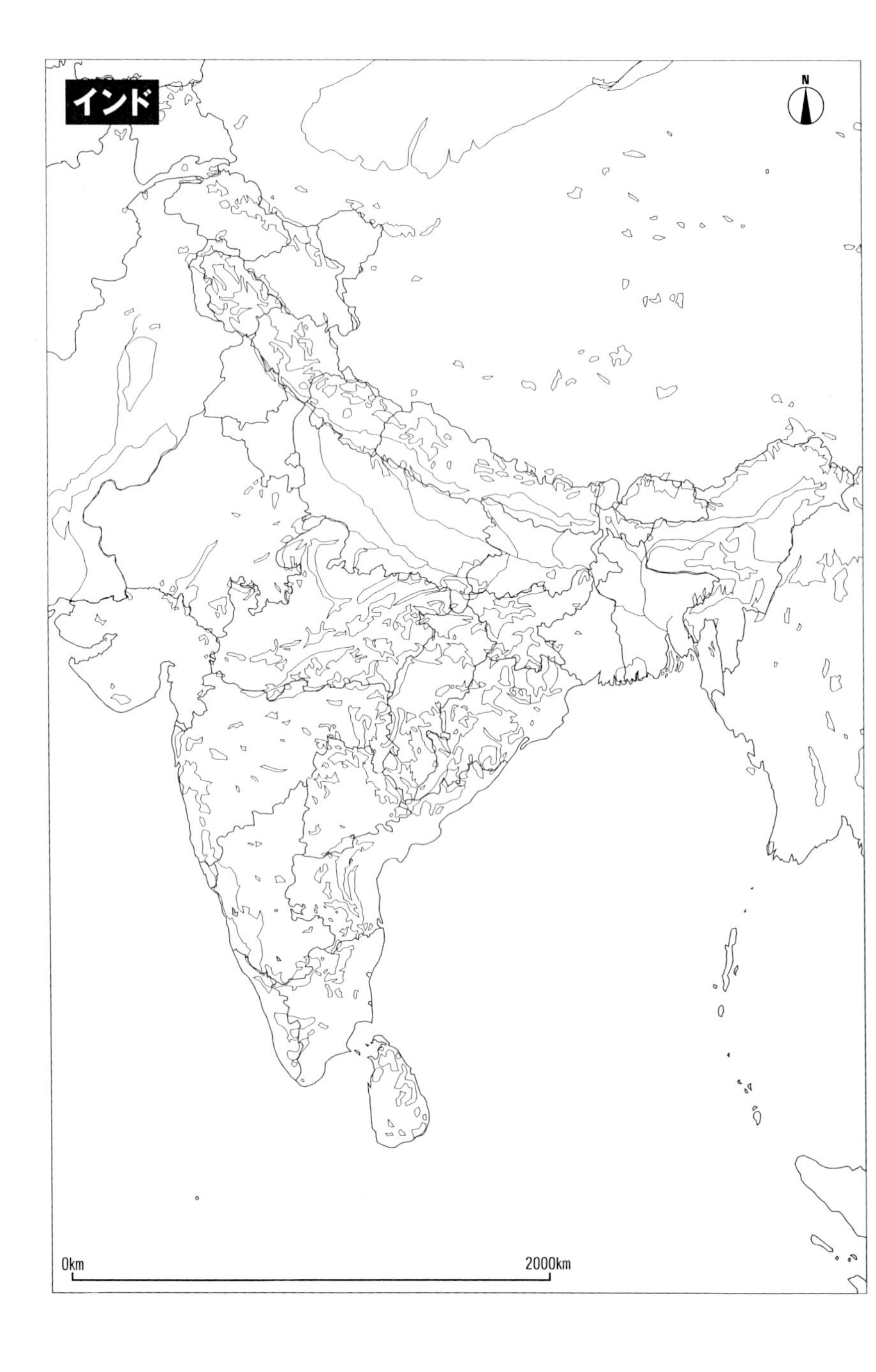
インド
N
0km
2000km

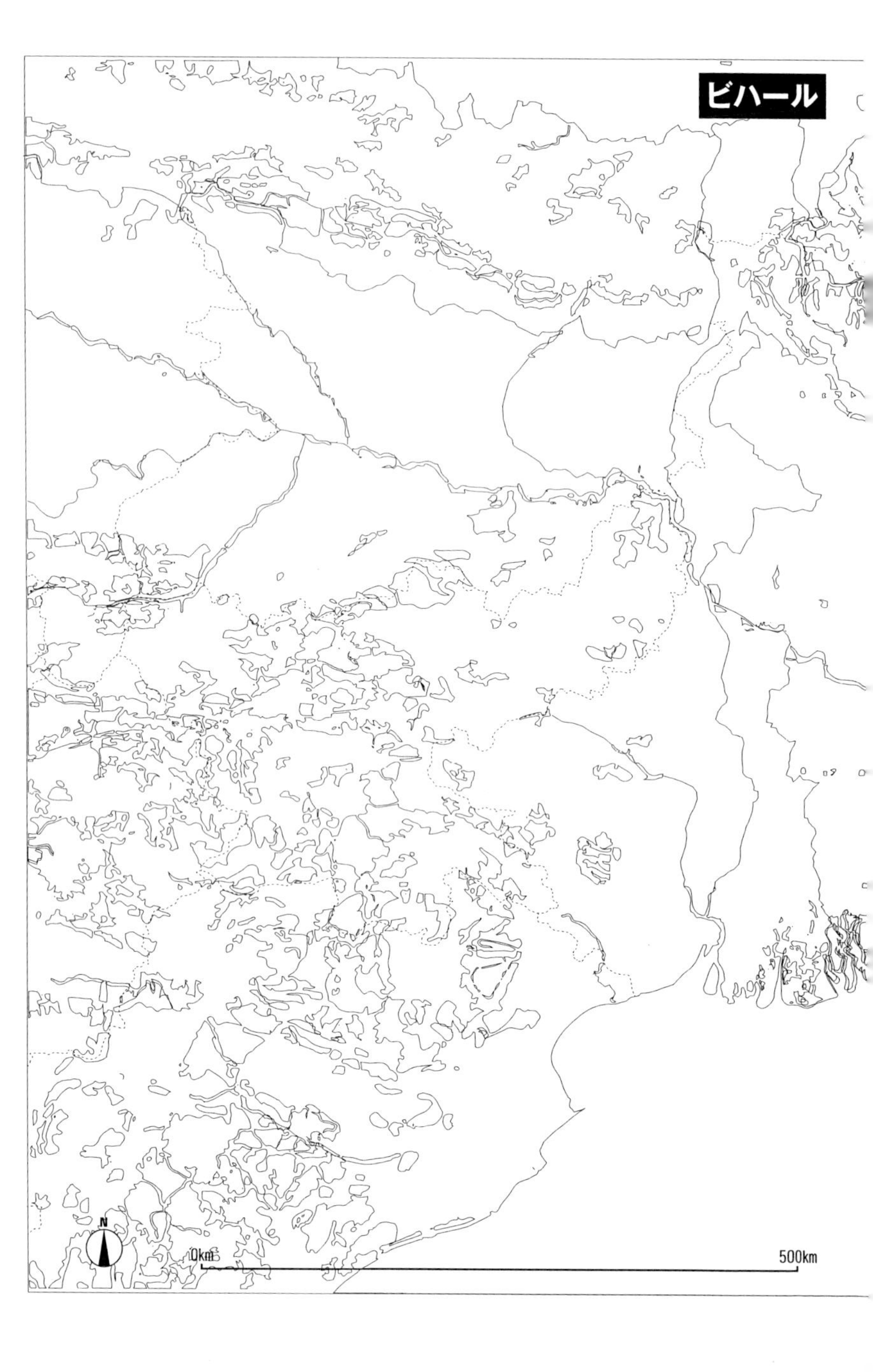
ビハール
N
0km
500km

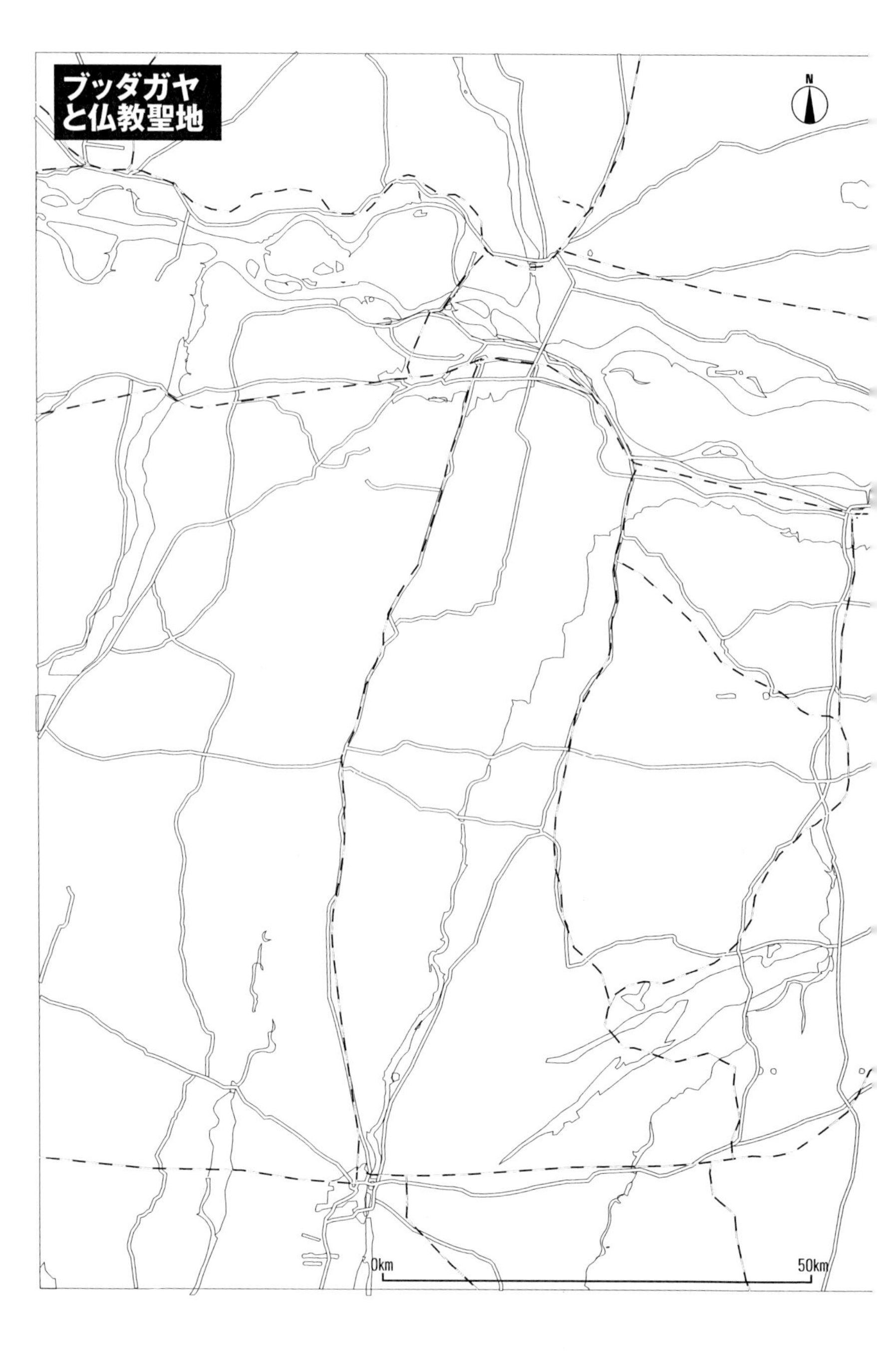
ブッダガヤ
と仏教聖地
N
0km
50km

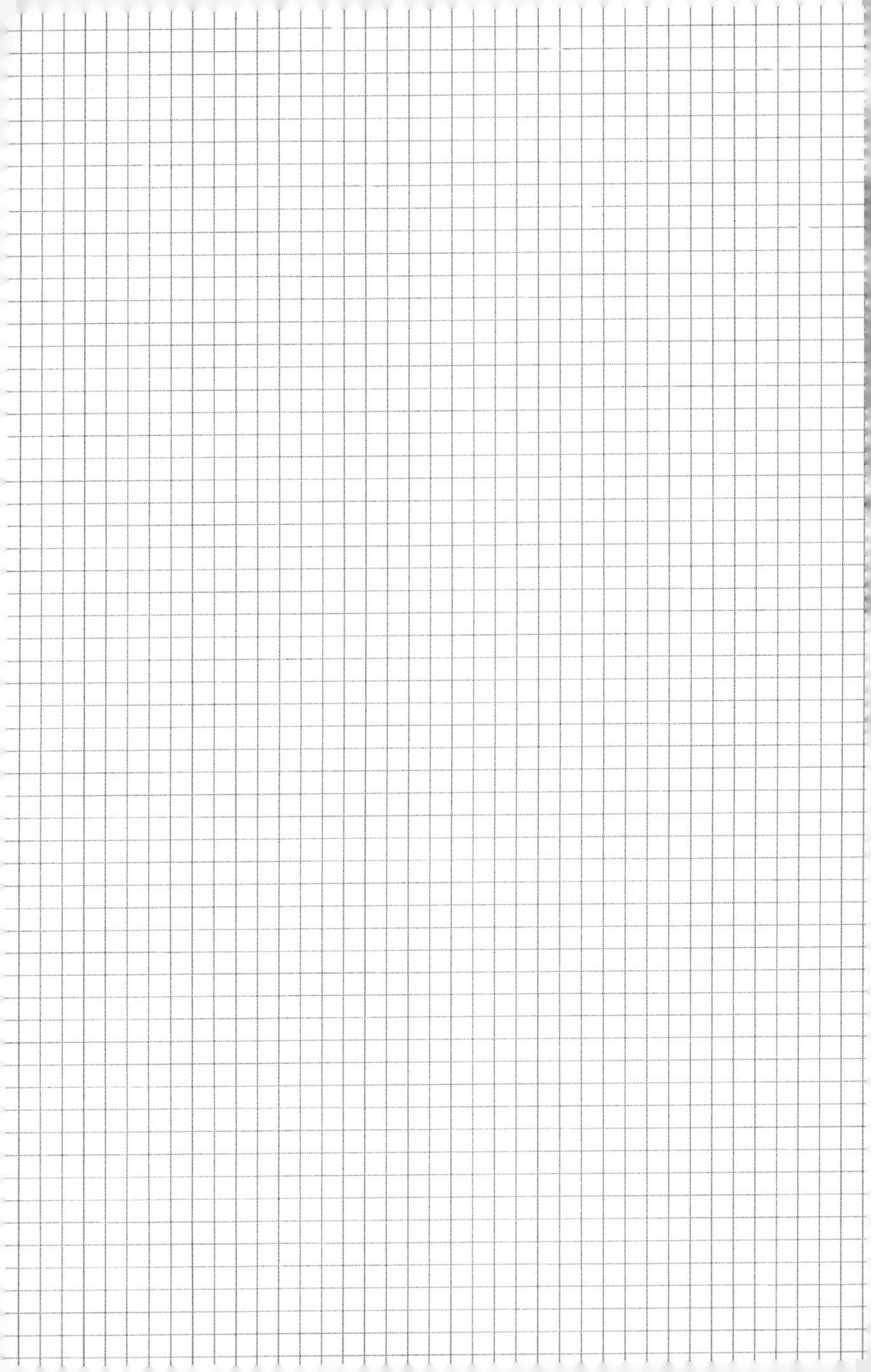

ブッダガヤ
N
0km
2km

ブッダガヤ
中心部
N
0m
500m

マハーボーディ寺院
0m
300m
N

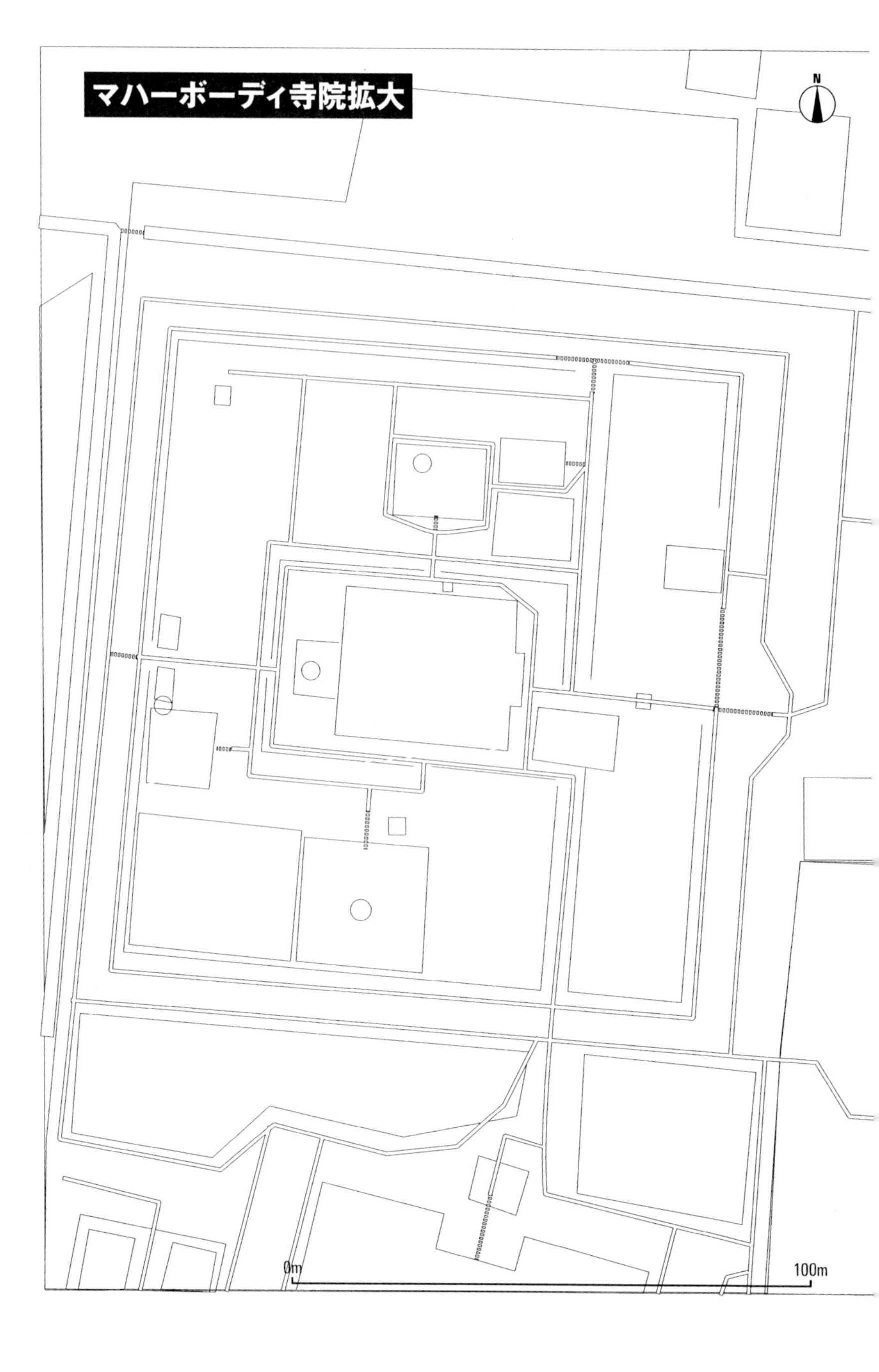

マハーボーディ寺院拡大
N
0m
100m

大塔西部
N
0m
500m

各国寺院
0m
500m
N

大塔南部
0m
500m
N

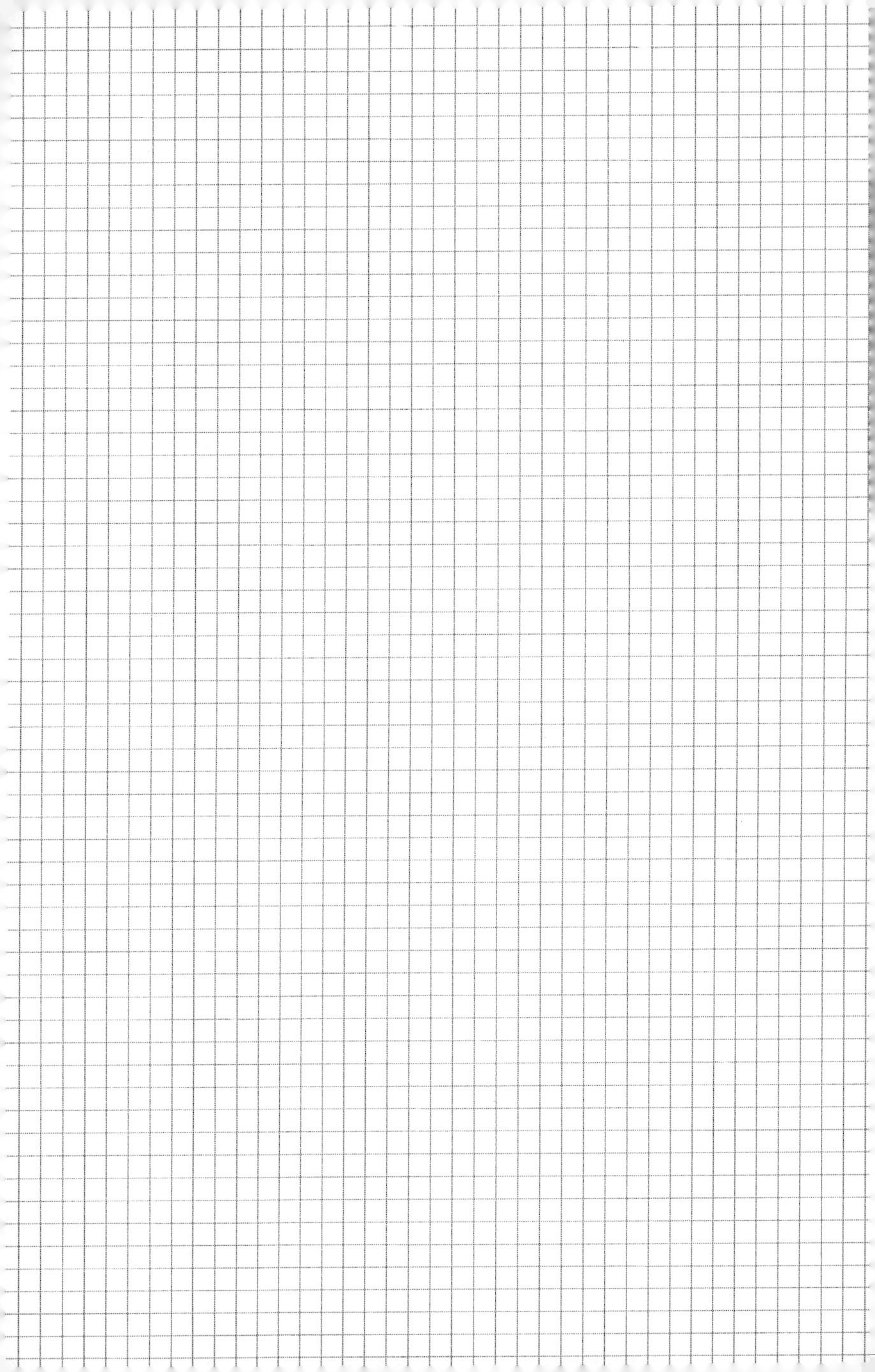

大塔北部
N
0m
500m

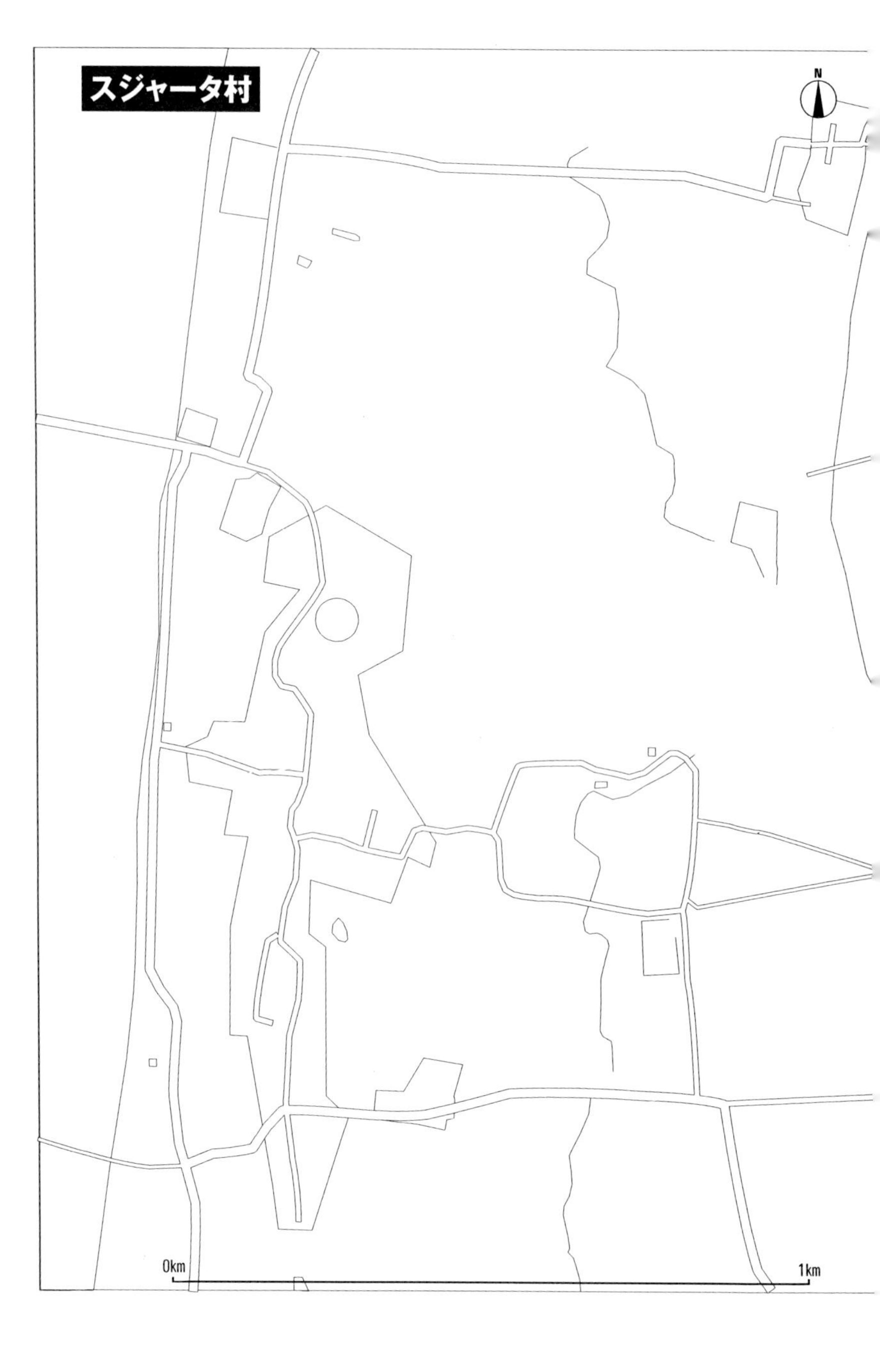
スジャータ村
N
0km
1km

ブッダガヤ郊外
N
0km
10km

N
市街西部
0km
1km

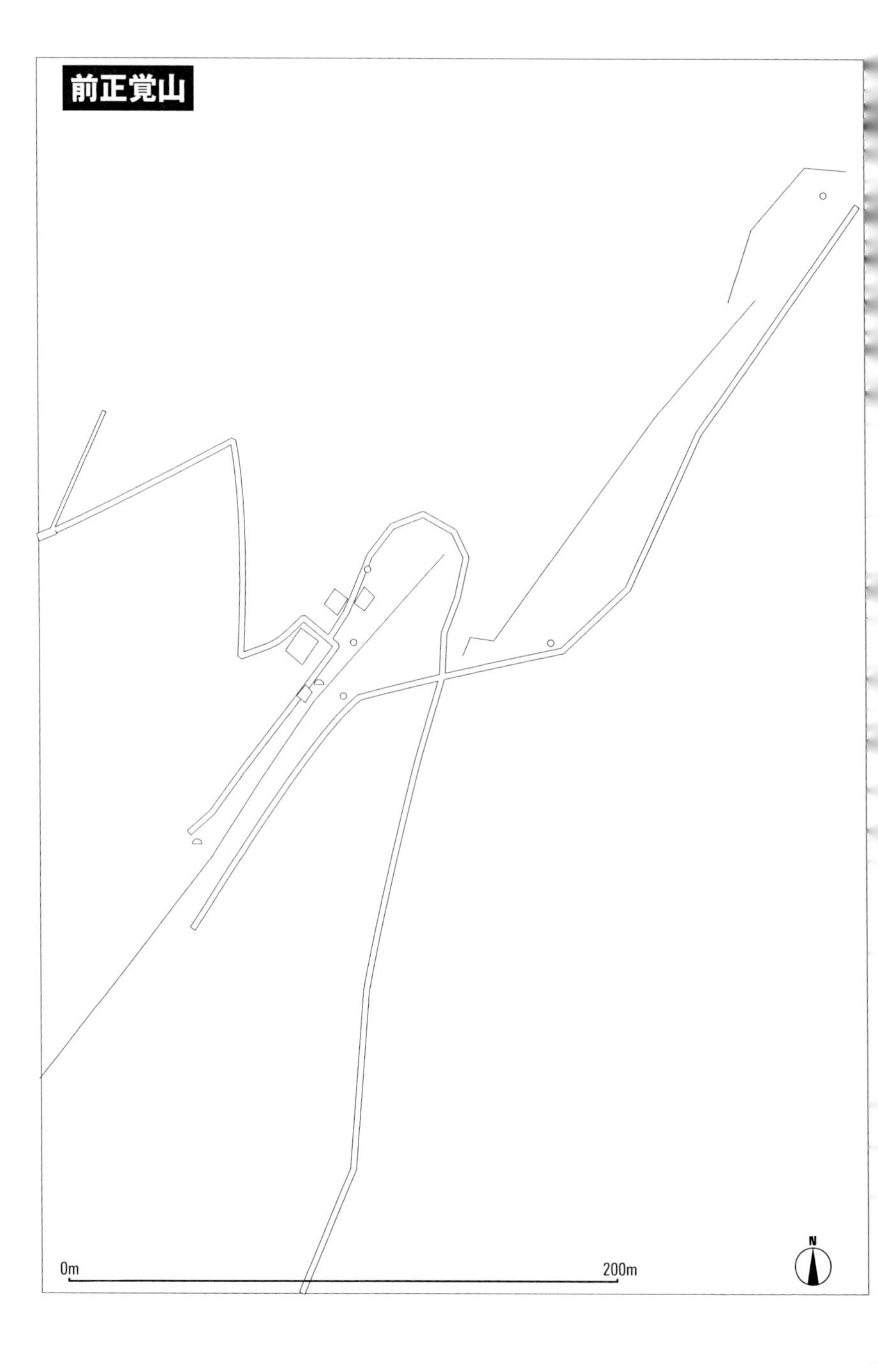
前正覚山
0m
200m
N

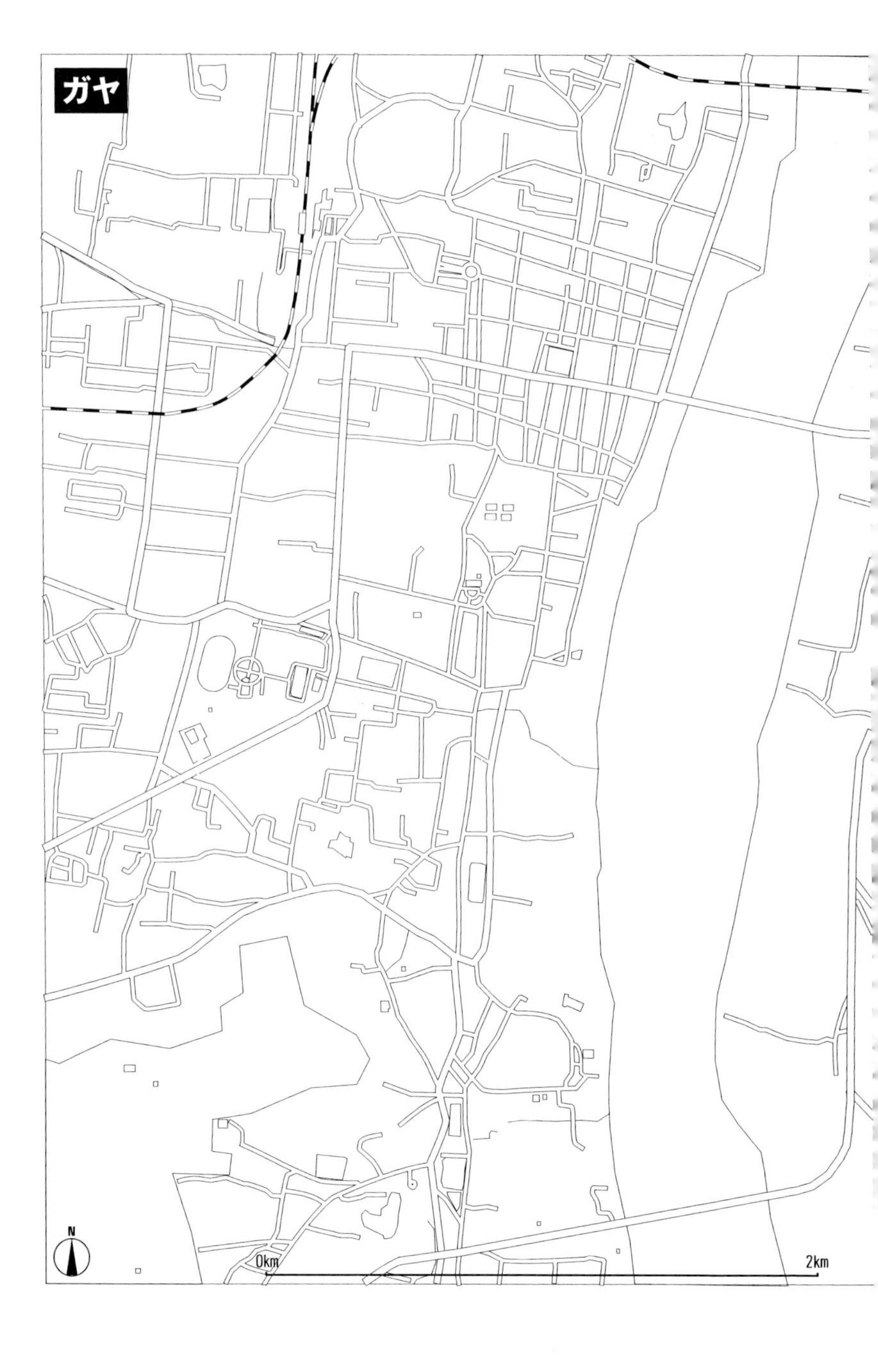
ガヤ
N
0km
2km

ガヤ旧市街
N
0m
500m

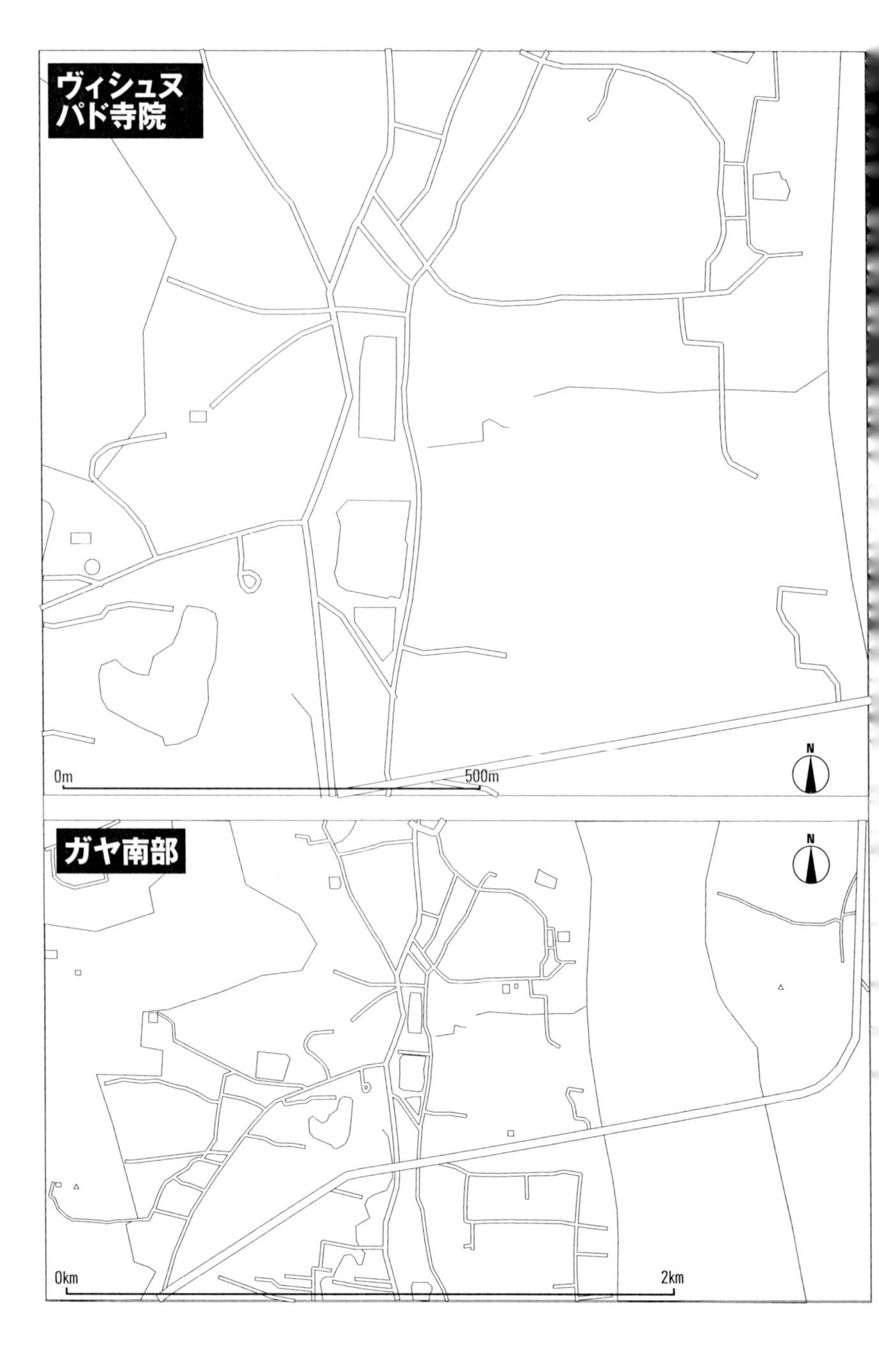

ヴィシュヌパド寺院
0m
500m
N
ガヤ南部
N
0km
2km

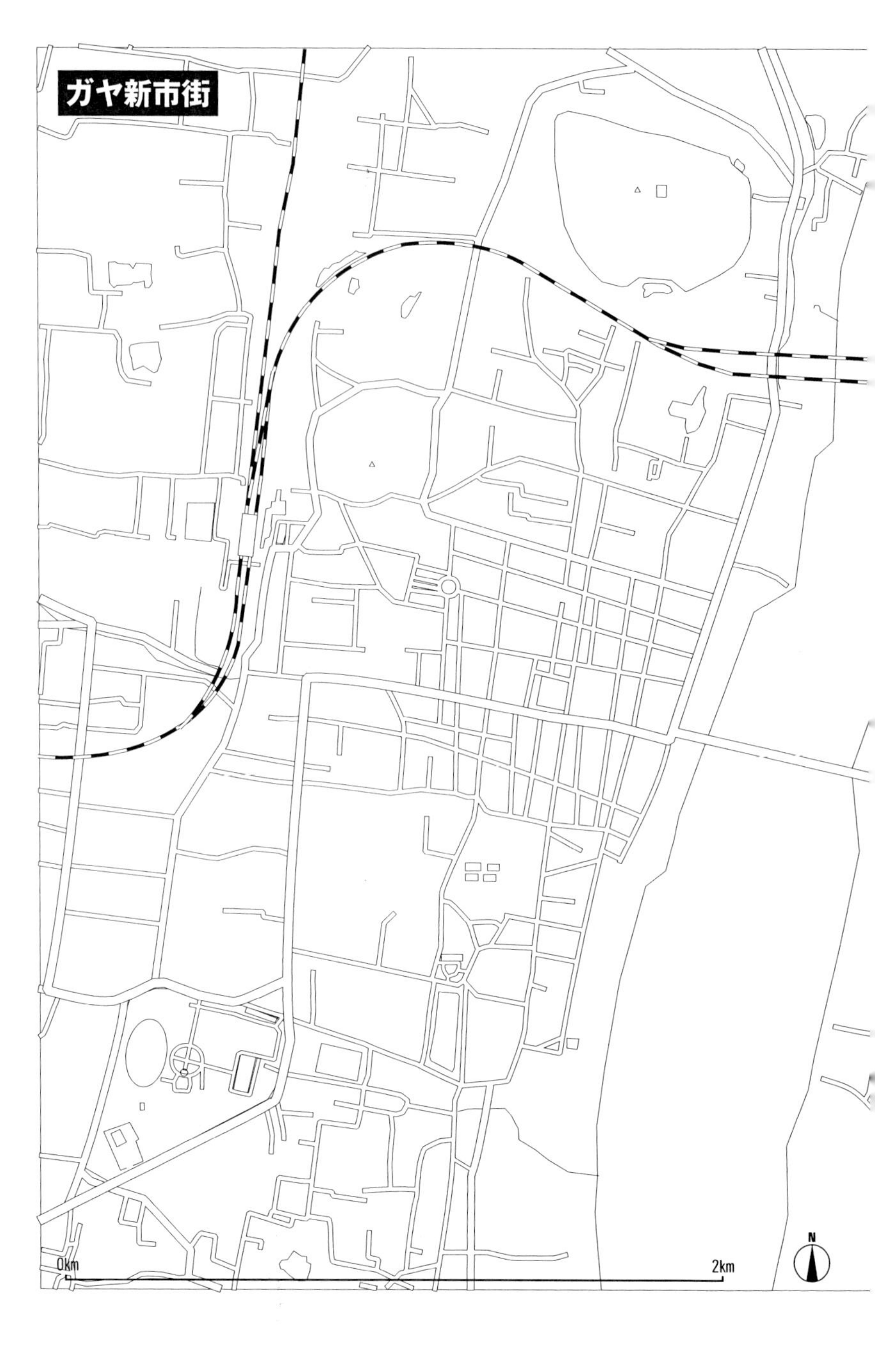

ガヤ新市街
0km
2km
N

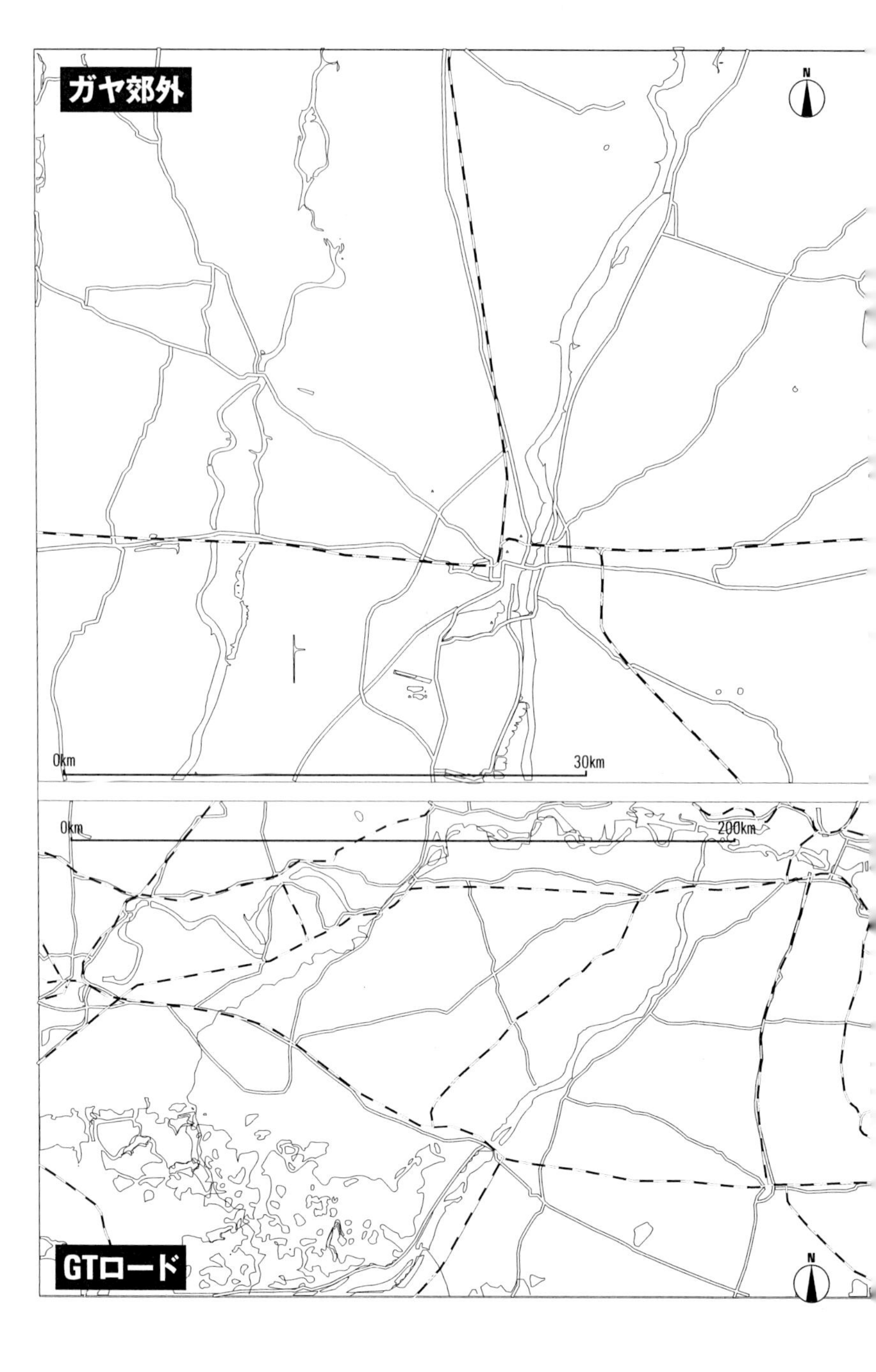
ガヤ郊外
N
0km
30km
0km
200km
GTロード
N

【車輪はつばさ】

南インドのアイラヴァテシュワラ寺院には
建築本体に車輪がついていて
寺院に乗った神さまが
人びとの想いを運ぶと言います

An amazing stone wheel of the Airavatesvara Temple
in the town of Darasuram, near Kumbakonam in the South India

まちごとインド
東インド 012

ブッダガヤ

「悟り」と菩提樹

［モノクロノートブック版］

「アジア城市（まち）案内」制作委員会
まちごとパブリッシング
http://machigotopub.com

・本書はオンデマンド印刷で作成されています。

・本書の内容に関するご意見、お問い合わせは、発行元の
まちごとパブリッシング info@machigotopub.com までお願いします。

まちごとインド
新版 東インド012ブッダガヤ
～「悟り」と菩提樹

2021年 3月18日 発行

著 者	「アジア城市（まち）案内」制作委員会
発行者	赤松 耕次
発行所	まちごとパブリッシング株式会社 〒181-0013 東京都三鷹市下連雀4-4-36 URL http://www.machigotopub.com/
発売元	株式会社デジタルパブリッシングサービス 〒162-0812 東京都新宿区西五軒町11-13 清水ビル3F
印刷・製本	株式会社デジタルパブリッシングサービス URL http://www.d-pub.co.jp/

MP323

ISBN978-4-86143-475-4 C0326 Printed in Japan